KB185619

# W이론을 만들자

nd omega
an Mailer
t's Ghost.' 15

with
nique. 15

r's ideas
t. 15

The New York Times

THE **Home** SECTION

THURSDAY, SEPTEMBER 26, 1991

Copyright © 1991 The New York Times

C1

Seoul National University

**Microwave Oven** The voice-activated oven was developed at Seoul National University.

Jim Estrin for The New York Times

**Robot Bartender** Stephen Grevan claims it is "the first step to a more completely automated home." It mixes more than 100 drinks ordered through a computer.

Sal DiMarco Jr. for The New York Times

**Bike Wheels** Mark W. Hopkins demonstrates wheels with thick high-performance airfoil-shaped spokes.

# Inventors In Se
# Of New Must-H

By PATRICIA LEIGH BROWN

MEMORABLE dates in the annals of home improvement. 1860: Linoleum. 1938: Teflon. 1945: Tupperware. 2001: Floating furniture.

History marches on.

Humankindhasaseeminglyinexhaustiblelust for invention. Ten years ago, it was almost impossible to predict that by 1991, fax machines and portable telephones would be the stuff of everyday life. By 2001, according to a new book, they may be joined by voice-activated microwave ovens, floating furniture, robot bartenders and remote-controlled vacuum cleaners.

Dr. Myun W. Lee, a human factors engineer and director of the Research Institute of Engineering Science at Seoul National University in South Korea, is convinced that the world will be a better place because of his mushroom-shaped, remote-control vacuum cleaner, now in production. It works like a toy robot and has a snap-off control box attached to its handle.

"If you are in the mood for exercise, go to the aerobics club," he said in a telephone interview. "Don't vacuum."

"More Future Stuff: Over 250 Inventions That Will Change Your Life by 2001," by Malcolm Abrams and Harriet Bernstein, to be published by Penguin Books next month, explores the outer limits of human ingenuity. From Jetsonian high-tech engineers to resolute backyard putterers, the book chronicles designs that are actually on the drawing board or in production.

Many of the ideas spring from personal experience. "We all have an element of creativity," said Gerald Udell, a professor of marketing at Southwest Missouri State University who evaluates

*Continued on Page C6*

MALCOLM ABRAMS & HARRIET BERNSTEIN

MORE FUTURE STUFF

ISBN 0 14
014523 0

뉴욕타임즈(NYT) 가정란 특집에 게재된 하이터치 TV, 리모콘식 진공청소기, 음성인식 전자레인지(1991.9.26.)(위)

하이터치 TV, 리모콘식 진공청소기, 음성인식 전자레인지가 소개된 책 '2001년에 우리생활을 변혁시킬 250개 발명품'(펭귄출판사, 1991. 10.)(오른쪽)

# 책머리에

금년 초에 방송매체를 통하여 그간의 산학협동 연구를 통해서 개발된 하이터치 제품을 소개한 적이 있었다. 방송이 나간 후 필자는 여러분으로부터 의외의 성원과 격려를 받고 과학기술에 대한 우리 국민의 관심이 매우 높다는 것을 실감하였다.

그 가운데서도 특히 강원도 양양에 사시는 할머니, 제약회사에 다니는 나이 어린 작업자, 농업학교 교사, 간호사, 성남의 보일러상 등에 이르기까지 우리 과학기술을 걱정하며, 더욱 열심히 연구할 것과 좋은 결과가 있기를 기도하겠다고 격려해 주셨을 때 사명감을 느끼기도 하였다. 이와 비슷한 시기에 학내·외 여러 선배 석학들로부터 과학기술의 인식을 높일 수 있는 읽기 쉬운 책을 써보라는 권고가 많이 있었다.

W이론은 우리의 독자적 경영철학을 의미하는 상징적

이름이다. 우리 산업의 있는 그대로의 현실, 문화적 역사적 토양, 기술패권주의 또는 기술민족주의의 시대적 상황에 대응하여 우리 겨레의 창조력에 불을 당기는 새로운 틀로써 국가발전 전략에 적용되어야 함을 강조하고 있다. 그러므로 W이론이 추구하는 바는 세계 각국이 고유기술, 고유산업문화를 개발하고 이의 국제교류를 강화함으로써 인류복지 향상에 기여하는 데 있다. 따라서 W이론은 우리의 국가정책은 물론이거니와, 첨단기술을 유지 발전시키고자 하는 선진국의 산업정책, 우리와 처지가 비슷한 중진국의 산업발전 전략에도 발전적으로 적용될 수 있을 것이다.

미처 충분히 정리도 되지 않은 채 감히 이 책을 쓰게 된 동기는, 이러한 기회를 통하여 여러분들의 좋은 의견이 집합되고 정리되는 기회를 촉발하고자 하는 욕심도 작용하였다. 대화과정을 통하여 필자를 격려하고 과학기술의 중요성을 공감하여 주신 지식산업사의 김경희 사장님께 감사드린다.

또한 그동안 성원하여 주신 학내·외 선배 석학, 동료 여러분께 감사를 드리고자 한다. 공학연구소의 함주호 · 장성호 박사는 비판과 제안을 통하여 이 책의 내용을 알기 쉽게 쓰는 데 큰 역할을 하였다. 김영욱 양은 수없이 반복되는 내용 수정을 신속히 지원하여 주었다. 그리고 항상 필자를 염려하시는 어머님께 감사드리고, 늘 힘이 되어주는 가족에게 이 기회를 통하여 미안한 마음을 전하고자 한다.

1992년 6월
지은이

# 차　　례

## 結

# 起

1. 우리의 독자적 경영철학이 없다
2. W이론의 실체

## 1. 우리의 독자적 경영철학이 없다

### —種子와 土壤—

**우리의 경영철학이 없이 선진국 대열에 합류하기를 기대한다면, 이는 마치 카우보이 복장에 일본도를 차고 판소리를 어설프게 흉내내는 3류 광대가 세계적인 배우가 되기를 바라는 것과 같다고 할 것이다.**

우리가 발전의 지표로 자주 인용하는 미국과 일본의 산업발전 과정을 살펴보면, 예외없이 산업발전을 선도하여 온 그들 나름의 이론이나 경영철학이 있었다.

미국 제조업의 발전을 가져온 경영철학은 X이론(Theory X)과 Y이론(Theory Y)이며, 일본제품이 세계시장을 제패한 저변에는 Z이론(Theory Z)이 있다.

X이론을 간단히 설명하면, 사람들의 업무태도는 수동

적이므로 직무의 표준화, 관리감독의 강화, 능률급 제도의 도입으로 제조업의 발전이 크게 이루어진다고 보는 시각이다.

이에 반하여 Y이론은, 사람은 자신에게 적당한 동기만 부여되면 능동적 창의적으로 일하기를 즐겨하므로, 경영층은 분위기 조성과 업무의 자율성을 지원하여야 생산성이 향상된다고 설명하고 있다.

Y이론은 1970년대 이후 미국의 우주개발과 1980년대의 컴퓨터통신혁명을 촉진하는 원동력이 되었다. 일본의 Z이론은 선진국의 기술을 도입하여 이를 일본의 토양에 맞게 철저히 소화함으로써 기술의 효율성을 높인 이론이며, 도쿄올림픽 이후 품질향상운동 · 원가절감운동 · 간판시스템으로 끊임없이 보완되면서 세계시장을 제패하는 추진력이 되었다.

이에 반하여, 우리나라는 이에 비견할 만한 이론과 경영철학 없이 미국의 경제이론과 일본의 관리기법 사이를 오가며 애썼으나 결과적으로는 부질없는 노력만을 허비하여 왔다.

그러나 우리는 미국 · 일본에 앞서 일찍이 새로운 국가의 경영철학을 제시하였던 적이 있다. 우리가 중 · 고등학교 역사시간에 배운, 실학(實學)의 '실사구시'(實事求是)가 바로 그 시대의 새로운 국가경영 이론이고 철학이었던 것이다.

'실사구시'란 한마디로 풀면 '현실에 근거하여[實事] 올바른 것을 찾는다[求是]'는 것인데, 조선 후기인 17, 18세기에 일군(一群)의 실학파 학자들이 당시의 사회·경제 현실을 비판하고 근대적 과학적 인식을 주장하였던 이론으로서, 농업·상공업·생산기술 및 유통의 혁신을 위해 제도적 개편을 강조한 사상이다. 특히 혁신의 바탕을 민족현실에 두고, 일부 양반계층에 의해 주도되어 왔던 학문사상을 중인층(中人層)은 물론이거니와 서민층(庶民層)에까지 확산하여, 근대국가 발전의 초석을 마련하고자 하였던 사상운동이었다. 그러나 이들의 매우 타당한 주장은 나라의 정치를 좌지우지하던 보수적 집권세력에 의하여 받아들여지지 않고 말았다.

10여 년 전에 미국을 방문하였을 때, 그곳 교포로부터 배나무 이야기를 들은 적이 있다. 이 교포부인은 여러 과일 가운데서도 배를 무척 좋아했는데, 미국 식품점에서 파는 배는 맛도 없거니와 모양도 호리병같이 생겨서 옛날에 시골 과수원에서 먹던 배 생각이 간절했단다.

그래서 그녀는 한국에서 가져온 배나무를 집안에 심어 정성스럽게 키웠는데, 그 나무에서 열린 배의 종자는 분명히 고국의 과수원에서 얻어온 것이었으나 정작 모양과 맛은 미국의 배와 꼭 같더라고 하였다. 아무리 종자가 좋아도 토양이 맞지 않으면 맛있는 과일이 열리지 않는다는 평범한 진리를 실감하면서, 문득 우리 산업계의 현실이 연상되었다.

우리 산업의 성장과정에서도 기술선진국의 종자와 국내 산업의 토양이 조화되지 못한 경우가 많았다. 그러나 더 근본적인 문제는, 우리가 노력을 기울여 해외기술을 우리의 것으로 소화한다 하더라도 국제경쟁에서는 여전히 그들의 아류에 그치고 말 것이란 점이다.

산업의 기반이 거의 없었던 1960년대에는 해외기술도입이 피치 못할 지상과제였겠으나, 1970년대의 제3차 경제개발계획 무렵부터 국가의 발전목표를 우리 토양의 특성을 철저히 인식하고 우리의 특성에 맞는 종자를 육성하는 데 두었더라면 얼마나 좋았을까 하는 안타까운 마음을 금할 수 없다.

우선 외국의 종자와 우리의 토양이 조화되는 데는 근

본적인 한계가 있다고 느꼈던 경험을 예로 들어보고자 한다.

최근에 한국을 방문한 외국의 어느 전문경영인과 장시간 대화할 기회가 있었다. 이 사람은 일본의 대표적인 관리기법으로 알려진 도요다식 간판(看板 : Just-In-Time) 시스템의 전문가이며, 여러 일본기업이 이 기법을 적용하여 큰 성과를 거두었다고 한다.

간판시스템은 공정의 흐름을 일체화시키는 전표를 제품에 부착함으로써 불필요한 낭비를 줄이고, 부품소요와 재고관리, 자금활용 등의 여러 활동에서 원가절감과 생산성 향상을 가져온 관리기법이며, 일본제품이 세계시장을 석권하게 된 원동력으로 평가받고 있다.

한국에서도 간판시스템이 잘 활용될 수 있겠느냐고 거듭 질문했더니, 한참 망설이던 그는 어색한 표정으로 잘 안될 것 같다고 대답하면서 그 이유를 다음과 같이 설명하였다.

그를 한국에 초청한 회사의 공장에서 간판시스템의 추진방법에 관한 강연을 한 적이 있는데, 강연이 시작되기에 앞서 그 회사의 공장장으로부터 이상한 부탁을 받았다고 한다. 즉, 그 공장은 관리인력도 부족하고 관리자가 생산현장에 드나드는 것을 작업자들이 싫어하니, 간판시스템은 "현장 작업자들이 책임을 지고 추진해야 한다"는 점을 특별히 강조해 달라더라는 것이다.

간판시스템의 가장 중요한 원칙은, 사장에서부터 신입 작업자에 이르기까지 전사원이 참여하는 솔선수범과 경영층의 열정이라 할 수 있으며, 이를 근간으로 그 추진력이 생긴다고 한다. 또한 '세계 제일이 아니면 죽는다'는 비장한 각오와 종신고용제도, 순환식 근무제도, 기업별 노조활동, 대기업－중소기업간의 공생원칙의 토양에서 개발된 열매인 것이다.

그는 경영자의 솔선궁행(率先躬行) 이야기를 들려주었다. 해외에서 구입한 첨단 공작기계가 자주 고장이 나곤 하였는데, 이 기계를 판 회사는 고장수리를 할 때마다 거액의 수리비를 요구하였다고 한다. 이를 개선하고자 여러 번 시도를 하였으나 별 효과가 없자, 당시의 전문관리자였던 그는 자신의 상사인 공장장에게 이 기계의 고장수리를 책임지라고 건의했다.

그 공장장은 아침 간부회의가 끝나면 곧 작업복으로

갈아입고 기계 밑에 들어가서 매일 30분씩 있다가 나왔더니, 얼마 되지 않아 기계고장 문제가 저절로 해결되더라는 것이다. 매일 기계 밑에 누워 있는 공장장을 본 작업자들이 끊임없이 아이디어를 내어서 마침내는 고쳐진 것 같다고 하였다. 결국 지도자의 솔선수범이 문제를 해결하였던 것이다.

열정에 관한 이야기도 했다. 그는 간판시스템 도입과정에서, 일과 후에는 작업자들의 사기를 높이기 위하여 이들과 함께 가라오케 집을 찾는 경우가 가끔 있었다. 그러나 자신은 노래에 재주가 없어 좌중의 흥이 솟지 않는다고 생각, 바로 가요학원에 등록하고 노래를 배웠다는 것이다. 이제 자기의 애창곡 레퍼토리가 200여 곡에 이른다고 자랑하였다. 작업자들의 사기를 북돋우기 위해 40대 후반의 나이에 가요학원에 등록을 한 그의 열정이 간판시스템의 성공을 가져왔을 것이다.

매일 기계 밑에 누워 개선의지를 보이는 공장장과, 생산성 향상의 책임을 작업자 계층에게 미루는 공장장 사이에는 하는 일마다 현격한 차이가 날 것이 틀림없다.

작업자들의 사기를 올리고자 가요학원에 등록하는 경영자도 우리 주변에서는 찾기 힘들 것이다. 일본인인 그 전문경영인의 눈에는, 한국 경영층은 남의 성공사례를 그대로 모방하는 사람들, 또 그 모방조차도 적당히 하면서 큰 결실만을 원하는 딱한 사람들로 비춰졌을 것이다.

한때 경제발전의 성공사례로 지목되던 우리 산업구조의 내용을 솔직히 '있는 그대로' 들여다보면, 선진국에서 도입한 기술－설비에 의한 후발생산, 저임금－양산조립에 의한 가격경쟁력, 주문자의 상표를 부착(OEM)한 얼굴없는 수출로 실속없는 산업팽창에 안주하여 왔던 것이다. 그간 산업발전의 주역은 아무래도 생산현장의 작업자 계층이었다고 보아야 한다.

그러나 제조업 경쟁력에서 임금이 차지하는 비중은 원가의 5에서 10퍼센트에 불과하다. 지난 30년간 우리의 국제경쟁력을 원가의 10퍼센트도 채 안되는 저임금 노동력에 맡겨온 셈이다.

오늘날의 기술주도시대에서 시장경쟁력은 75퍼센트가 기술에 의해 좌우된다고 한다. 우리는 국제경쟁력의 75퍼센트를 차지하는 기술에 관한 국가의 정책과 연구개발은 뒷전에 방치해 두고, 고임금만을 걱정하고 있다.

그간 우리에게 미래의 구체적 현실적 전망을 제시한

경영자나 신기술을 개발한 전문가는 흔치 않았다. 상식적으로는 이해될 수 없는 이와 같은 현상이 지속되는 까닭은, 우리에게 우리 나름의 이론과 철학, 특히 경영철학이 없었기 때문이 아닌가 한다.

이제 바쁜 일과를 잠시 멈추고, 우리 국가 장래를 이끌어 갈 우리 나름의 독자적인 경영철학, W이론을 만들어야 한다. 우리의 경영철학이 없이 선진국 대열에 합류하기를 기대한다면, 이는 마치 카우보이 복장에 일본도를 차고 판소리를 어설프게 흉내내는 3류 광대가 세계적인 배우가 되기를 바라는 것과 같다고 할 것이다.

## 2. W이론의 실체
### —신바람—

**직급과 규정에 의한 권위만이 아닌 투철한 솔선수범 정신으로 인정받은 지도자와 어려운 일에서 보여주는 전 참여자의 공생공사정신, 이 모든 전제조건이 만족되고서야 신바람이 났다. 신이 나서 한 일은 실패한 적이 없었다.**

최근에 너나없이 무역적자와 함께 수출경쟁력이 떨어진다고 걱정들은 하지만, 이는 아직도 우리의 현실을 정확히 드러내는 표현은 아니다. 우리의 현재를 정확히 표현하자면 우리는 이미 국난에 처해 있다고 보아야 할 것이다. 아무런 정신적 지주 없이, 기술패권주의를 휘두르는 선진 경쟁국의 기술배급에 의존하며 지탱되는 산업은 식민지 산업과 다를 바 없다 할 것이다.

필자는 지난 20여 년간 산학협동 연구를 행해 오는 과정에서 구미(歐美)이론과 국내 현실 사이에서 수없는 좌절을 경험하였고, 때로는 열악한 여건에도 불구하고 기대 이상의 큰 성과를 경험하기도 하였다. 이와 같이 좌절과 성취감을 반복하면서, 희미하게나마 떠오르는 생각이 있었다.

유럽이나 미국 등 여러 선진국들과 우리의 현실이 다른데, 좀더 구체적으로 표현하면 역사적 조건과 현실 여건이 다른데, 그들의 현실 조건에 맞는 이론을 그대로 우리 현실에 적용하려는 것은 무리가 아닌가, 우리의 현실에 맞는 이론은 없는 것인가 하는 의문이 생긴 것이다. 우리의 독자적 이론, 즉 한국 산업사회의 정신적 지주가 될 우리의 이론이나 경영철학이 있어야, 현존하는 모든 문제의 근본적 해결이 가능하리라는 점이었다.

그리하여 최근 10여 년간의 산학협동 연구과정에서, 우리나라의 발전을 보장할 W이론의 실체를 한시 바삐 만들어야 되겠다는 생각이 거의 강박관념으로 자리잡게 되었다. 이러한 나의 확신을 굳히게 된 경험사례를 몇 가지 소개해 보겠다.

지난 1987년부터 하이터치(High Touch) 제품의 개발 연구를 추진하여 왔다. 하이터치란, 국내 보유기술을 잘

조합하고 창의력이 가미된 신제품을 만들어서 전세계 소비자의 잠재욕구를 만족시킴으로써, 독점시장을 구축하자는 연구 접근방법이다.

산학협동 연구로 진행된 이 프로젝트 연구팀은 기업의 각 부서에서 차출된 25명의 기술자들로 이루어졌다. 이 팀의 연구원들은 매우 개성이 강한 사람들이어서, 주위에서는 이 연구가 시작도 되기 전에 실패할 것이라고 생각하는 사람들이 많았다. 그러나 "25인의 죄수부대"로 불리던 이 연구팀은 불과 2년 만에 세계 초유의 12개 고부가제품(高附加製品)을 개발하였고, 180여 건의 특허를 얻었으며, 미국의 《뉴욕타임즈》(*New York Times*), 영국의 BBC-TV를 위시한 일본 · 프랑스 · 오스트레일리아 등의 언론기관과 수입업자들로부터 큰 호응을 받았다. 이들이 예상 외로 좋은 연구업적을 내게 된 이유는, 작업에 차질이 생길 때마다 담당업무를 가리지 않고 전원이 달려들어 문제를 풀어냈기 때문이었다.

80여 명의 여자 작업자들과 같이 일한 적도 있었다. 이 작업자들은 매우 열악한 환경에서 일하고 있었으며, 그 회사의 경영진으로부터는 끊임없이 생산성 향상을 강요당하며, 초기에는 우리팀의 공장출입조차도 원치 않는 부정적인 분위기였다. 한동안 이들과 같이 지내며, 생산성과 관련된 연구는 하지 않을 테니 작업장 환경만이라도 개선하자고 하여 이들과 같이 일하게 되었다.

작업장 환경을 개선하고 나서 그 효과를 평가하기 위한 시험가동을 하였더니, 작업이 시작된 지 2시간 만에 생산성이 60퍼센트나 향상되었다. 작업환경이 개선된 것에 기분이 좋아진 작업자들이 각자 평소에 알고 있는 개선방법을 자발적으로 적용하여 생산성을 높여주었던 것이다.

어려움이 많은 중소기업에서 경험한 귀중한 성공사례도 있다. 기타를 만드는 공정 가운데는 코드를 잡는 부분에 음쇠를 박는 작업과정이 있다. 이 작업은 그 공정의 생산량이 전체 생산량을 좌우하였던 애로공정이었다. 처음에는 대화조차 회피하던 40대 초반의 반장과 8명의 10대 여자 작업자들이 함께 350퍼센트의 생산성 향상을 이루었다. 미국 출장가는 길에 그곳의 옛 지도교수에게 들러 350퍼센트 생산성이 향상된 이야기를 자랑삼아 했더니, 그분은 의심스러운 표정으로 무슨 기법을 적용했느냐고 묻는데, 시원스럽게 대답을 못했다.

돌아오는 길에 되짚어 생각해 보니, 작업 특성을 파악

하기 위하여 작업자들과 같이 음쇠를 박는 작업을 직접 했는데, 미숙하여 손가락을 자주 다치는 것을 보고 작업자들이 우리들을 측은하게 여긴 나머지, 우리편이 되어 적극적으로 노력하여 개선이 이루어졌던 것 같았다.

1985년 무렵, 자동차 운전석에 컴퓨터를 내장하고 운전자의 인체 특성을 컴퓨터가 계산하여 자동으로 가장 안락한 자세를 제공해 주는 첨단 운전석을 개발한 적이 있다. 세계 최초의 시도였다. 여러 차례 어려운 고비가 있었다. 기업에서 파견된 전문기술자들이 성공 가능성이 없다고 모두 철수한 후에, 학력이 확실하지 않은 중소기업 기능공 3명과 공구라고는 처음 만져보는 대학원생 2명과 같이 개발을 시도, 마침내 성공했다.

작년에 서울대 공학연구소에서 연구보조원으로 일하던 한 대학원생은, 선진국이 그토록 이전을 거부하던 부식방지용 신소재의 배합 비법을 2개월 만에 찾아냈다. 이 사실을 알고 감탄한 전문기술자들이 어떻게 그리 빨리 찾아냈느냐고 물을 때마다 운이 좋았다고 대답한다.

이 연구에서도 교수들이 한 일은 거의 없었다. 그 대학원생이 별 진전이 없다고 걱정할 때마다, "노벨상 수상자 가운데 약 40퍼센트가 그들이 20대에 시작한 연구 결

인간공학적 분석에 의해 최적의 운전자세를 결정하여 이를 컴퓨터가 자동으로 조절해 주는 세계 최초의 첨단 운전석(1985)

과가 뒤늦게 인정받아 상을 타게 되었다"고 격려하고, 실패해도 좋으니 시도해 보라고 안심시켜 주었을 뿐이었다.

이러한 일련의 연구에서 성과를 올리면서 몇 가지 공통점을 발견했다. 실패한 연구도 많이 있었으며, 이 경우에도 공통적인 문제점이 있었다.

첫째, 그 어느 경우에도 그토록 든든히 여기던 전공이론이나 전문지식은 실제 연구과정에서는 생각보다 큰 역할을 하지 못했다.

둘째, 구성원의 유대감이 형성되기 전에 진행되었던 업무는 예외없이 부진하였다.

셋째, 공동노력의 분위기가 조성되면 항상 급속한 작업 진전이 이루어졌으며, 구성원들의 자발적인 노력과 창의적인 시행착오가 기대 이상의 좋은 결과를 낸다는 점이었다.

우리 겨레는 원대한 목표를 좋아하며, 목표에는 반드시 포부가 포함되어야만 흥이 나는 것 같다. 적당히 참여하는 일은 조금만 성취하여도 이내 자만하여 안주와 정체로 이어지곤 하였다. 우리들은 직급과 학식이 높다고 해도 좀처럼 존경하지 않는 반면에, 동고동락(同苦同樂)하며 '인간적으로 통하는' 지도자에게는 맹신에 가까운 신뢰를 보여준다. 직급과 규정에 의한 권위로는 지도자가 될 수 없으며, 구성원들로부터 동정심을 불러일으킬 정도의 투철한 솔선수범 정신이 반복적으로 확인되어야만 비로소 지도자로 인정하기 시작한다.

우리 만큼 평등정신에 투철한 민족도 없을 것이다. 어려운 일일수록 참여자 전원의 공생공사(共生共死)의 정신이 확인되어야 비로소 지도자의 기능적인 역할이 생긴다. 이와 같은 모든 전제조건이 만족되고 나서야 신바람이 났다. 신이 나서 한 일은 실패한 적이 없었다.

공장에서 피와 땀으로 작업자들이 일해 주었던 그간의 결과로 성취한 국제 경쟁력을, 이제 경영진과 전문지식인이 나서서 새롭게 발전시켜 가야 한다고 본다. 우리의 독자적 경영철학을 뒷받침할 W이론이 있어야 미래전망, 발전목표, 공동협력과 지속적인 탐구가 가능할 것이다.

W이론은 아직은 없다. 그러나, 각계각층의 경험과 지혜를 모아 W이론이 그 뚜렷한 형체를 갖추고, 이를 통해 새로운 발전의 계기가 마련되기를 바라면서, 몇 가지 경험사례를 독자 여러분과 같이 되짚어보고자 한다.

# 承

3. 산업기술의 현주소
4. 産學協同이 부진한 이유
5. 선진국과 東京大
6. 기업의 동맥경화증을 넘어서

## 3. 산업기술의 현주소

### — 十面楚歌 —

기술전쟁의 총사령관을 자처하는 선진국 정치가에게 기술이전을 요구한다면, 이는 마치 우리보다 군사력이 훨씬 강한 적군에게 "너희 전투력이 우리보다 우세하니 우리에게 전력을 이관하라"는 행동에 비유될 수밖에 없다.

항우(項羽)와 유방(劉邦)의 싸움을 그린 《초한지》(楚漢志)를 보면, 한나라 군사가 초군(楚軍)의 항우를 사면에서 포위하고 북과 꽹과리를 치면서 초나라 노래를 불렀다는 구절이 나온다. 요즈음에도 매우 위급한 상황에 처해 있는 경우를 일컬어 '사면초가(四面楚歌)에 처해 있다'는 표현을 쓴다.

우리의 주위 여건을 둘러보면, 국제적으로는 ①정보통신혁명의 급격한 진전, ②선진국의 기술이전 기피, ③

EC의 무역보호장벽, ④일본의 핵심부품 공급조절, ⑤국제화 조류에 따른 내수(內需)시장 개방압력, ⑥동남아 후발국의 맹렬한 추격 등으로 국제경쟁력이 급격히 약화되고 있으며, 국내적으로는 ①산업기반기술의 취약, ②고급기술인력 부족, ③임금인상, 근로의욕의 감소, ④과소비 풍조 확산 등 모두 열 가지 이유 때문에 심각한 위기를 맞고 있다. 이러한 주변 여건을 돌아볼 때 오늘의 우리 산업은 십면초가(十面楚歌)에 처해 있다고 할 수 있다.

필자는 산학협동 연구를 수행해 오면서 대기업의 총수로부터 현장의 신입 작업자에 이르기까지 여러 계층의 사람들과 대화할 기회가 많았다. 이러한 과정에서, 모든 사람들이 한결같이 애쓰고 바쁘게 지내고는 있으나 내실 있는 발전은 이루어지지 않고 있으며, 산업 일선에서 고생하며 지내는 사람들은 그들이 한때 지녔던 희망과 포부가 무너지면서 점차 정체와 좌절감이 더해 가는 듯한 인상을 받았다.

필자가 《초한지》의 고사숙어를 처음 인용한 것은 1987년이었으며, 이때 우리 산업이 육면초가(六面楚歌)에 둘러싸여 있다고 표현하였다. 당시 산업여건을 보면

환율변동과 임금인상이 우리의 주요 관심사였으며, '첨단기술'이란 용어가 차츰 거론되기 시작하였다.

그러나 전반적으로는 다음해에 열릴 88올림픽이 열기를 더해 가고 있었고, 해외수출도 점차 늘어나 무역흑자를 눈앞에 두고 있었으며, 세계 각국에서는 우리 경제성장을 놓고 '아시아의 네 마리 용'으로, 또는 '한강의 기적'으로 높이 평가하던 시절이었다. 따라서 우리 산업여건이 '심각한 위기'에 처해 있다는 식의 경계는 오히려 큰 공감을 얻지 못하였다.

그러나 1988년부터 임금인상과 과소비현상이 본격화되면서 위기요인이 팔면초가(八面楚歌)로 증가되었고, 1990년에는 선진국의 기술이전 기피현상과 산업계의 고급인력 부족현상이 표면화되면서 위기상황은 마침내 십면초가로 악화되어 왔다.

이와 같은 상황을 자세히 분석해 보면, 우리 산업계를 둘러싸고 있는 십면초가 가운데 일곱 면의 적은 우리 스스로가 불러들였다고 보아야 한다. 즉, 기술에 관한 인식과 개념이 취약함으로 해서 교육투자의 소홀이 파생되었고, 고급기술인력의 부족현상이 야기되었으며, 이로 인

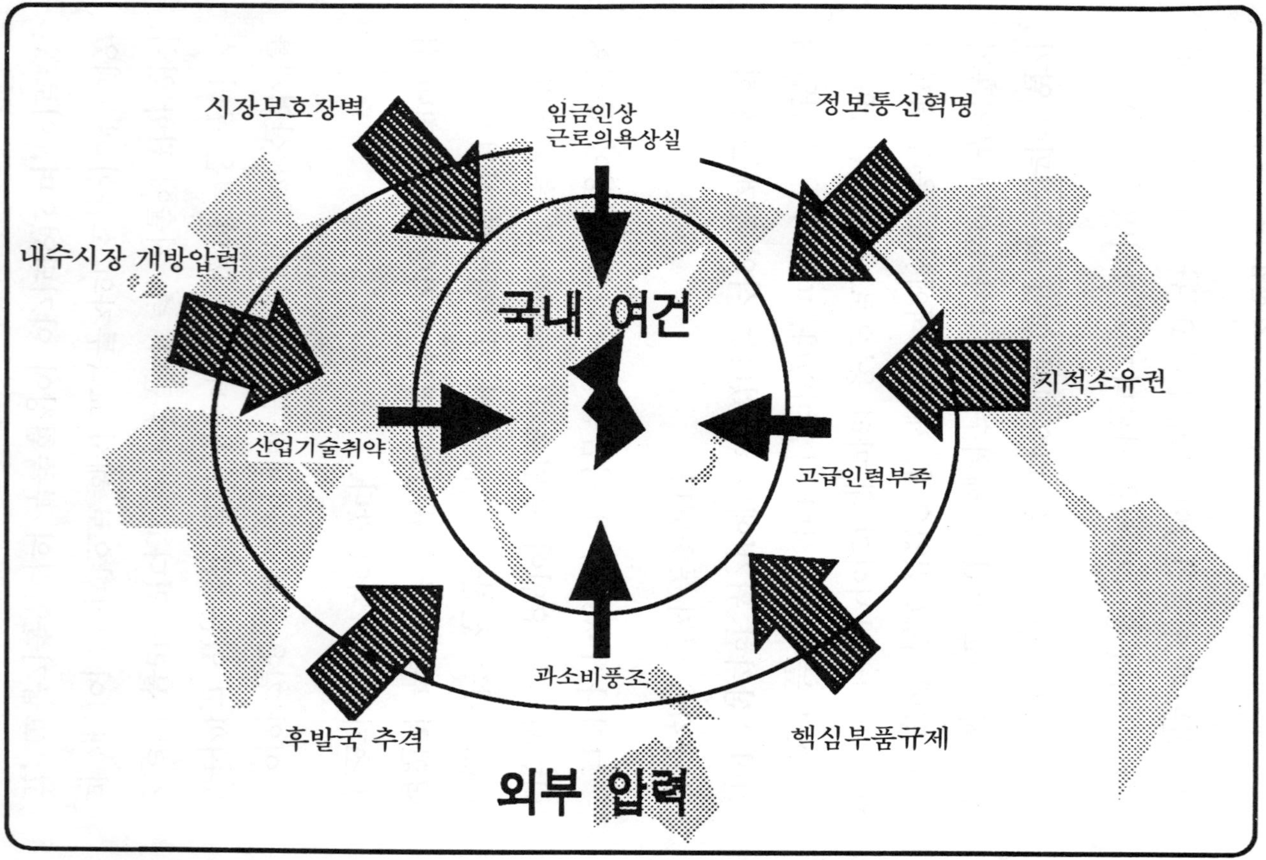

국내 산업계의 주위여건 — 十面楚歌

한 문제점이 전체의 70퍼센트를 차지하는 것으로 드러났다.

그러나 우리가 직면하고 있는 가장 근본적이고도 심각한 문제는 '우리가 기술을 모른다'는 데 있다. 이제 우리 산업이 맞고 있는 위기현상을 냉철히 분석하기 위하여 '기술'의 중요성을 다시 확인해 보자.

미국이 잃어가는 국제경쟁력을 되찾기 위해 운영하는 '대통령을 위한 과학기술특별위원회'의 건의내용이나, 일본의 정부·기업연구소의 여러 보고서에서 한결같이 강조하는 내용은 '국가경쟁력의 75퍼센트는 기술에 의해 좌우된다'는 점이다.

반면에 설비·기능·품질의 회복을 위해 강조되는 생산자동화 등의 첨단설비가 국가경쟁력에 미치는 영향은 20퍼센트, 우리가 그토록 믿어왔던 '저임금 노동력'이 차지하는 비중은 오히려 5퍼센트에 불과하다.

그러므로 기술로 국가경쟁력을 유지하려는 선진국이 우리에게 순순히 좋은 기술을 이전하지 않을 것은 애초부터 예상되었던 당연한 귀결이며, 이제부터라도 근본적인 대책을 마련하지 않으면 안된다. 기술전쟁의 총사령관을 자처하는 선진국 정치가에게 기술이전을 요구한다면, 이는 마치 우리보다 군사력이 훨씬 강한 적군에게 "너희 전투력이 우리보다 우세하니 우리에게 전력을 이관하라"는 무지한 행동에 비유될 수밖에 없다.

이와 같은 논리에서 보면 기술전쟁에서 20퍼센트의 비중을 차지한다는 첨단설비 · 자동화 · 정밀공작기계는 전쟁에 동원되는 첨단병기에 비유될 수 있을 것이다. 그러나 최신 병기를 개발한 군사강대국이 상대방 적군의 전투력을 증강시킬 첨단무기를 순순히 공급할 리 만무한 것이다.

마찬가지로, 산업에서 노동력이란 전투에 투입되는 병력에 해당한다고 볼 수 있다. 그러나 우리가 그토록 자랑해 왔던 '풍부한 노동력'이 이미 고갈되었고, 또 있다손 치더라도 기술전쟁을 승리로 이끌 수는 없다. 페르시아만전쟁에서 고급기술의 첨단무기 앞에 이라크의 100만대군이 얼마나 허망하게 무너졌는지를 우리는 보도를 통해 직접 목격한 바 있다.

이렇게 중요한 기술을 우리가 보유하고 있지 못한 이유는, 지난 30여 년을 선진국이 배급하는 낙후기술에만 의존하면서 독자적 기술개발은 방치하여 왔던 결과가 누적되어 일시에 나타난 때문이다. 기술선진국(G7)은 단계적 발전과정을 착실히 거치며 오늘날의 기술수준을 보유하게 된 것이 아니던가.

선진국 기술에 의존하고 있는 우리 산업계의 경영철학은, 패전 직후 일본이 미국의 기술에 크게 의존하였던 1950년대의 경영개념과 유사하다. 우리의 독자적 기술의 중요성이 강조되기 시작하는 요즘의 분위기는, 기술의 중요성을 실감하기 시작하였던 1960년대의 일본 산업계 분위기와 흡사하다.

선진국들이 1960년대부터 1970년대에 겪었던 환경공해 문제가 이제 우리에게 닥쳐왔으며, 고임금을 피해 저임금국인 우리나라를 찾았던 해외기업과 마찬가지로, 우리 산업도 1980년대 후반부터 국내의 고임금을 피해 해외진출을 강요당하고 있다. 기술선진국합의체(G7)가 결성되고, 유럽공동체(EC)를 비롯한 지역생존전략이 체계를 잡기 시작한 것이 1980년대였으며, 이들의 압력이 이제 우리의 숨을 가쁘게 하고 있다.

1990년대부터는 선진국의 기술패권주의 여파가 노도

와 같이 밀려들기 시작하고 있다. 즉, 우루과이 라운드(UR)의 개방압력, 몬트리올(Montreal) 협정의 오존층 보호대책과 이에 따른 우리 전자산업의 위기, 리우(Rio) 협정의 주요 안건인 지구온난화방지대책과 이로 인한 산업에너지 위기 등은 우리의 손발을 묶어두려는 선진국의 기술전쟁이 우리의 전후좌우에서 숨가쁘게 전개되고 있는 생생한 전황이다.

산업계의 병세가 이렇게 악화되도록 방치하였던 근본 이유는 다음과 같이 설명된다. 즉, 기술에 대한 우리 인식은 1950년대에서 1960년대 수준에 머물러 있고, 우리 작업자들의 근로의식은 선진국이 1960년대에서 1970년대에 경험한 과정을 뒤쫓고 있다. 선진국은 이미 1970년대에 환경공해 여파에 따라 산업구조 조정을 겪었으며, 이제 우리가 이 모든 과정을 일시에 겪으면서 1990년대 선진국의 패권싸움과 2천년대 정보혁명의 급류에 휩쓸려 떠내려가고 있는 것이다.

우리 산업계는 지난 30여 년간을 해외기술에만 의존하여 왔다. 예를 들어, 1973년을 기점으로 본격화된 우리 산업계의 해외기술 도입은 날이 갈수록 증가되었고, 일본으로부터 매년 도입되는 기술건수도 그간 약 7배에 이르렀다. 이 과정에서 우리의 체계적인 기술축적이 이루어지지 못하였고, 일본에 대한 의존도만 날로 높아져 왔다.

그러나 선진국이 우리에게 제공하는 기술은 그들 입장에서 보면 이미 경쟁력을 잃은 낙후기술일 뿐이다. 설비 역시 정밀도와 가공능력이 떨어지는 노후설비만을 우리에게 주어왔다. 그 결과, 우리 산업의 발전과정을 보면 해외로부터의 낙후기술과 노후설비의 도입, 저임금－양산조립에 의한 가격경쟁력의 확보, 주문자상표부착(OEM)에 의한 얼굴없는 수출로 실속 없는 산업규모의 팽창만 계속된 것이다.

이 과정에서, 매우 중요한 개념임에도 불구하고 우리에게는 생소하게 들리는 개념이 '기술'이다. 이와 함께 해외에서 배급 형식으로 넘겨주는 기술도입에만 의존하여 왔기 때문에 '기술투자' 개념도 거의 없었다.

기술투자 개념이 없는 한, 앞으로도 우리 산업은 선진국 기업의 '자비심'에 운명을 맡기면서 구걸행각을 벌여야 한다. 그러나 우리가 그토록 의지하여 왔던 일본은 더 이상의 기술이전을 거부하고 있으며, 그들과의 기술협력

회의에서는 우리에게 '기술종속국'이 될 것을 은근히 권장하는 듯한 발언도 서슴지 않고 있다.

우리에게 없는 또 하나의 중요한 개념은 '기업의 변신'이다. 미국 《포춘》(*Fortune*)지가 매년 선정하고 있는 '세계 500대 기업' 가운데서 지난 30년간 연속으로 뽑힌 기업은 10퍼센트에 불과하다고 한다. 또한 1960년대에 일본의 수출을 주도한 10대 품목 가운데서 1990년에도 이 명단에 남아 있는 제품은 자동차 · 철강 · 조선뿐이며, 간신히 10위의 명맥을 유지하고 있는 조선도 곧 탈락할 것으로 예측되고 있다. 끊임없이 변신을 거듭해 온 기업이나 산업만이 살아남기 때문이다.

경제위기를 기업변신의 기회로 활용함으로써 기업의 발전을 이룩한 사례는 세계적으로 많다. 일본의 자동화기계산업은 지난 20년간 경제불황, 오일쇼크와 가격인상, 록히드사건 등 14번의 경제위기를 맞이했다고 한다. 그러나 이 기간 동안에 자동화기계의 매출액은 자동차산업에서만 40배의 성장을 기록하였다. 위기를 한번 맞을 때마다 오히려 3배의 성장을 이룩한 셈이다.

우리의 경우는 어떠한가? 지난 5, 6년간 우리 산업이 위기에 처해 있다는 말은 수없이 들어왔으나, 우리 기업이 이 위기를 발전의 계기로 활용한 경우는 흔하지 않았다. 오히려 정부의 정책만을 탓하고, 정부의 지원금을 기다리며 금리인하, 세제혜택과 설비지원금융 등이 확대되어야 한다고 투정만 하여 왔다.

기술이 문제가 될 때마다 대학이 고급인력을 배출하지 못한다고 비난하였으며, 이럴 때마다 정부는 대학 정원을 늘렸고, 이로 인하여 함량미달의 인력이 더욱 양산되면서 쓸모 있는 고급인력은 더욱더 모자라게 되는 악순환이 거듭되어 왔다.

기술에 대한 인식과 개념이 취약한 우리가 기술혁신을 이루기는 쉽지 않을 것이다. 그러나 우리 기업이 명심하여야 할 가장 중요한 좌우명은 '기술개발만이 기술전쟁에서 살아남을 수 있는 유일한 길'이며, '국제경쟁력의 75퍼센트는 기술력에 좌우된다'는 점이다.

기술혁신을 추진하는 과정에서 기술개념이 부족한 우리가 경영지침으로 삼아야 할 몇 가지 지혜를 간추려보기로 하자.

먼저, 기업의 수명은 30년이며, 기업이 도태되지 않으려면 10년을 주기로 하여 기업활동의 30퍼센트가 개혁되어야 함을 명심해야 한다. 이러한 개혁을 이루려면 3년을 주기로 기업의 혁신계획이 새로이 수립되어야 한다. 이 과정에서 여러 유형의 위기를 맞을 각오를 하여야 한다. 기업의 경영여건이 위기를 맞을 때마다 그 위기를 기업 발전의 새로운 계기로 활용하여야 하며, 최소 3배의 성장을 이룰 것을 목표로 계획이 추진되어야 한다.

요약하여 볼 때, 우리 산업이 처해 있는 십면초가의 위기는 '기술'을 모르고, '기술투자'에 소홀히 하면서 해외기술에만 의존하여 온 나라살림의 총체적 담당자인 정부와 우리 산업계의 정체와 안주가 누적되어 나타난 당연한 현상이며, 기술에 대한 우리의 인식이 혁명적으로 바뀌지 않는 한 그 어떤 노력도 우리 산업을 회생시킬 수 없을 것으로 판단된다. 또한 우리가 일대 혁신을 이루고 최대한의 노력을 기울인다 하여도 우리 산업의 위기가 결코 단시일 안에 해결되지는 않을 것이다.

이러한 상황에서 우리에게는 오직 두 가지 선택이 있을 수 있다. 그 한 가지는 이 위기를 담담히 수용하면서 선진국의 기술종속국이 될 것을 자청하든가, 아니면 막대한 사상자를 낼 것을 각오하고, 일치단결하여 활로를 뚫을 필사적 공격을 즉각 개시하는 길일 것이다.

## 4. 産學協同이 부진한 이유

— 공동관심사가 없었다 —

정부의 역할도 따지고 보면 의지 차원의 문제이다. 정부는 기술개발을 소홀히 하는 기업, 교육혁신을 등한히 하는 대학, 산업계의 현실적 요구를 계속 외면하는 연구소에 대하여는 앞으로 모든 지원을 즉시 중지할 것임을 선언하여야 한다.

혼자 하기에 벅찬 일을 여럿이 힘을 모아 성사시키는 경우를 협동이라고 한다. '백지장도 맞들면 가볍다'는 속담이 전래되어 온 것을 보면 예전에도 우리 겨레는 협동을 매우 소중하게 여겼던 것 같다.

우리가 오늘 필요로 하는 기술개발에도 협동이 절실히 요구되고 있다. 고급인력 · 연구설비 · 투자예산이 모두 부족한 우리 처지에서 보면 합심전력하여 협동하는 것은 발전대책의 수립 · 집행 과정에서 빼놓을 수 없는 전략 ·

전술이 될 것이다.

우리 정부 · 대학 · 산업계에서도 지난 20, 30여 년간 산학협동의 중요성과 각종 활성화대책이 끊임없이 논의되어 왔으나 아직은 부진한 편이다.

먼저, 필자가 참여하였던 연구사례를 통하여 산학협동의 필요성을 살펴보기로 하자.

필자는 1987년에 서울대학교 반도체공동연구소의 효율적 운영방안에 관한 연구에 참여하여 반도체산업 육성을 위한 산업계 · 대학 · 정부의 바람직한 역할을 분석하였다. 반도체 분야의 국내외 전문가 15인이 연구원으로 참여하여 방대한 양의 국내외 자료조사와 공동토의가 진행되었다.

이 내용을 종합 분석한 결과를 요약하면, 우리 여건에 맞는 반도체산업 육성방안은 "산업계의 역할이 28퍼센트, 대학이 26퍼센트, 정부가 11퍼센트이며, 특히 산업계 · 대학 · 정부가 공동으로 협동해야만 결과가 기대될 수 있는 산 · 학 · 관(產學官) 협동부분이 35퍼센트나 차지"하고 있는 것으로 나타났다. 즉, 산업계 · 대학 · 정부 각각의 역할이 제아무리 잘 수행된다 하더라도 산 · 학 · 관 협동이 이루어지지 않으면 반도체 산업의 발전은 기대할 수 없음을 알 수 있었다.

1991년에는 조완규 당시 서울대 총장의 지시로 국가의 과학기술정책을 수립하는 위원회의 연구과제로서 산학협동이 부진한 이유를 본격적으로 분석하였다. 이 연구에서 산업계 · 대학 · 연구소와 정부간의 협동이 부진한 이유를 체계적으로 분석하였고, 이와 함께 산 · 학 · 연 · 관(産學硏官) 협동을 활성화하기 위한 방안을 강구한 바 있다.

이 연구에서 선진국의 성공사례와 국내외 전문가의 의견, 각종 연구보고서 등이 종합적으로 분석되었다. 이와 같은 과정을 통하여 우리의 산학협동이 부진한 이유를 정리하여 보니, 대략 108개의 문제점으로 요약될 수 있었다.

이 문제점들의 예를 몇 개 들어보면, 고급기술인력의 부족, 연구장비의 부족, 산학간 인력교류 부재, 해외기술정보교류 부족, 연구 결과의 평가체제 취약 등이 있다.

이 연구는 과학적인 분석기법을 이용하여 산업계 · 대학 · 연구소 · 정부의 협동이 부진한 이유를 밝힌 것인데, 즉 협동의 장애요인은 무엇인가를 다음과 같이 설명하였다.

먼저 산업계는 협동준비가 되어 있지 않았다는 것이다. 그동안 우리 산업계는 산업발전에 가장 중요한 기술을 자체 개발하지 않고 해외기술에만 의존하여 지난 20년간 해외기술의 연간 도입건수는 7배 이상으로 증가하였으나, 아직도 우리의 기반기술은 여전히 취약하며, 오히려 날이 갈수록 해외기술의존도만 심화되어 가고 있다.

한 나라의 기술력은 중소기업의 기술수준에 의해서 좌우되고 있음은 모두가 아는 사실이다. 우리 산업구조에서 중소기업이 차지하고 있는 비중을 보면 전체 사업체수의 98퍼센트, 작업인구의 약 60퍼센트 제조업 생산액의 약 40퍼센트를 차지하고 있다.

반면에 연구개발의 가장 기본적인 업무인 해외기술 동향을 파악하고자 노력하는 중소기업은 7퍼센트, 기술개발이 가장 최우선의 업무라고 생각하는 기업은 5퍼센트에도 미치지 못하고 있다.

또한 정부의 중소기업진흥정책은 계속 표류하여 왔으며, 대기업은 그들의 기술력을 뒷받침할 중소기업을 지원하기는커녕 오히려 영역확장에 몰두하여 왔으며, 대학의 산학협동 노력도 대기업 위주로 수행되어 왔다. 최근 기업 부설 연구소는 1,200여 개가 넘으나, 필자가 직접 방문하여 본 몇몇 중소기업 연구소의 실태를 보면, 상당수의 연구소는 어떤 기술을 개발하여야 할 것인가조차 파악할 능력이 없는 경우가 많았다.

국가 기술수준의 지표가 되는 중소기업의 현황이 이러함을 볼 때, 우리 산업계는 독자적 기술개발을 위한 의욕조차도 갖기 힘든 형편이었다.

결국 산업계는 자체 기술개발을 하고자 하는 의지가 없었으니, 산학협동의 필요성도 실감하지 못했을 것은 어찌보면 너무 당연한 결과였는지 모른다.

대학도 산학협동을 수행할 능력이 취약하다. 지난 30여 년간 국민 1인당 GNP는 60배 이상이나 증가하였으나, 이에 비하여 실질적인 교육투자는 오히려 악화되어 왔다.

예를 들어, 서울대 공대에 투입되는 정부예산 가운데서 교직원 인건비가 차지하는 비율이 86퍼센트나 되어, 시설유지비 등을 제외한 실질적인 교육비는 14퍼센트에도 미치지 못하고 있다. 만일 한 가정의 수입 가운데서 식료비가 차지하는 비율이 86퍼센트라면, 그 가정의 자녀교육 수준이 어떠한지는 쉽게 짐작할 수 있을 것이다.

또한, 지난 10년간 석·박사과정의 학생수는 각각 3배, 17배로 증가하였으나 교수인력은 1.3배의 증가에 그쳐, 교수 한 사람이 담당하여야 할 학생수는 날이 갈수록 늘어났다. 우리가 경쟁의 목표로 삼고 있는 선진국 공과대학의 교수 대 학생 비율이 1대 5에서 10인 데 비하여, 이들을 뒤쫓고자 하는 서울대 공대의 교수 대 학생 비율은 1대 31이다. 그리고 우리를 맹렬히 추격하고 있는 태국이나 말레이지아 공과대학의 교수 대 학생 비율은 1대 10 안팎이다.

만일 양궁이나 탁구에서 코치 1명이 31명의 유망선수들을 지도하였다면, 이 선수들은 지난 88올림픽의 경우와 같은 좋은 성적을 낼 수 있었겠는가. 올림픽보다 훨씬 치열한 국가들 사이의 기술전쟁에 투입할 고급인력을 교육하는 대학이 이와 같이 열악한 여건에 처해 있음을 볼 때, 만일 앞으로도 계속 미래의 국가발전을 위한 교육투자를 소홀히 한다면 우리는 국가간의 생존경쟁의 대열에서 스스로 탈락하는 결과를 맞게 될 것이 예상된다. 즉, 오늘 현재의 우리 대학은 산업계와 협동할 여력이 없다.

정부 출연 연구소의 경우를 보기로 하자.

1960년대에 과학기술연구소를 시초로 설립된 정부 출연 연구소가 오늘날 안고 있는 근본적인 문제점은 국가와 산업계가 요구하여 온 산업기술개발의 요구를 외면하면서 미래지향적 연구로 점차 그 방향을 바꾸어온 데 있다.

출연 연구소 설립 초기에 운영되었던 산업체와의 계약연구제도는 매우 바람직하였으나, 1970년대 후반부터 정부의 연구비 지원에 의존하기 시작하더니, 1980년대에 와서는 '산업체가 추진하기 어려운 대형 국책과제'와 '미래 첨단기술에 관한 연구'를 선호하면서 정부지원 예산만 계속 늘려줄 것을 요구하여 왔다.

이 과정에서 '중복투자 예방론'이라는 개념이 널리 통용되었다. 즉, 우리의 국가 예산은 한계가 있으니 예산집행의 효율성을 기하기 위하여 중복투자를 최소화하자는 취지이다. 연구개발 과정에서 가장 핵심적인 추진력을 제공하는 경쟁과 평가개념은 '중복투자 예방론'에 의해서 사전에 무너졌고, 도태가 없고 생존이 보장된 안주 분위기가 점차 확산되어 왔다. 만일 올림픽 예선전에 출전하는 선수들에게 출전선수 전원 결승진출이 사전에 보장된다면, 각국의 선수들은 과연 사력을 다해 훈련과정에 참가할 것인가?

'연구기능 분담론'이라는 구호도 있다. 즉, 각 연구조직의 특성을 최대한 활용하기 위하여 '기초연구'는 대학이 전담하고, '응용연구'는 출연 연구소에서 집중하며, '개발연구'는 상품을 다루는 기업에서 도맡아야 우리나라 과학기술 발전이 효율적으로 추진될 수 있다는 논리이다. 언뜻 설득력이 있어 보이는 이 논리도 연구비 수혜과정에서 우선권을 확보하려는 집단이기주의의 도구로 전락되어 왔던 것이 사실이다.

이 분담론이 잘못 운영되어 온 예를 들어보기로 하자. 대학은 '기초연구'에 전념하여야 하겠으나 우리 경제 형편상 아직 기초연구에 투자할 여력이 없으므로 대학의 연구지원은 당분간은 어려울 수밖에 없고, '응용연구'는 정부 출연 연구소가 중심이 되어 대규모 장기연구를 수행하고 있으니, 정부는 출연 연구소를 우선적으로 지원할 수밖에 없으며, 연구 결과의 '응용'은 산업계에서 잘 알아서 하여야 한다는 논리로 변형된다.

즉, 대학은 연구능력이 취약하고, 연구소는 미래 대형과제만을 선호하여 현실과는 동떨어진 연구만을 고집하면서 연구 결과의 평가가 이루어지기 힘든 '미래첨단기술'에만 매달려 있는 셈이다. 기술을 공급하는 두 기관이 이러한 형편이니, 눈앞에 닥친 상품의 시장경쟁력을 걱정하면서 '개발연구'를 담당하여야 할 산업계는 결국 '손쉽게 당장 얻을 수 있는 해외 낙후기술에라도 의존하는 수밖에 없다'는 식으로 각자의 책임이 전가되고, 서로가 서로를 비판만 하는 분위기가 만연되어 왔다.

그러면 정부 쪽은 어떠한가.

정부가 안고 있는 문제점은 '기술'과 '기술개발'에 대한 인식이 부족하고 기술을 이해하는 전문행정가가 없었다는 점이다. 기술을 아는 전문행정가가 없으니 국가단위의 과학기술정책은 수립될 수가 없었고, 결국 부처별 혹은 기관별로 다양한 정책이 전개되어 왔다.

대개, 한 부처의 과학기술정책은 '관계 전문가'들로 구성된 각종 연구팀이나 위원회의 운영을 통해 수립되어 왔다. 그러나 관계 전문가들이 한정된 분야 또는 기관에서 선발되었거나 안목이 부족한 경우에는 정책의 한계가 곧 드러날 것이다. 이에 따라 정부의 정책은 국익 차원의 종합정책이라기보다는 관련 분야, 연구대상, 전담조직의 우선순위, 시행시기와 지원비중이 명확하지 못한, 목표가 분명하지 않은 산만한 정책으로 표류하여 왔다.

기술개발과 산학협동의 필요성을 계몽하고 지도했어야 할 정부의 가장 큰 취약점은 '기술'을 모른다는 점이다.

최근 기술개발의 중요한 원칙으로 연구의 학제적 접근(Interdisciplinary Approach)이 강조되고 있다. 학제적 연구는 하나의 첨단기술이 개발되려면 여러 관련 학문 분야의 이론이 종합되어야 함을 강조하고 있다.

예를 들어, 초기의 자동차산업은 엔진, 차체, 구동장치 기술이 주종을 이루었으나, 최근에는 기계－금속 분야는 물론이거니와, 연비를 높이기 위한 에너지공학, 차체에 적용되는 신소재공학, 전자장치를 위한 반도체공학과 컴퓨터－통신이론, 배기가스 정화를 위한 환경공학은 물론, 인간공학적 편의기능과 시각적 디자인이 종합적으로 응집되어야 한다. 더 말할 것 없이 오늘의 자동차산업도 학제적으로 육성되어야 하는 것이다.

그러나 정부의 산업발전정책을 보면 학제적인 연구에 역행하는 처사를 계속하고 있다. 정부가 자동차산업의 육성을 위해 추진했던 사업은 대학에 자동차공학과를 신설하는 것이었다. 통신산업 육성을 위한 대책은 전파공학과를 신설하는 대학을 지원하는 것으로 이어졌다.

자동차산업 육성이 필요하다며 자동차공학과를 신설하는 자세는, 마치 《뉴욕타임즈》를 능가하는 좋은 신문을 만들고자 하는 언론인이 대학에 신문학과를 신설함으로써 대비책을 세웠다고 안심하는 것과 마찬가지일 것이다.

국제화 시대의 정치, 기술패권주의 시대의 과학기술, 정보혁명시대의 미래사회상을 남보다 앞서 다루어야 할 신문사를 신문학과 졸업생들로만 충족시킬 수 있겠는가? 학제적 기술개발을 적극 강조해야 할 정부의 정책이 실제로는 학제적 접근에 역행하는 조치를 취하고 있다.

이상의 산·학·연·관 협력 주체의 문제점을 요약하여 보면, 산업계의 해외기술 의존, 대학의 연구기능 취약, 연구소의 현실을 무시한 너무 먼 미래지향적 연구, 정부의 과학기술정책 부재로 압축된다. 이와 같은 각 조직의 잠재적 취약점은 협동 과정에서 매우 구조적인 문제점으로 증폭된다.

산·학·연·관의 협동을 저해하고 있는 가장 심각한 문제는 협동의 기본전제라고 할 수 있는 공동관심사가 없다는 점이다.

왜 공동관심사가 없을 수밖에 없는가.

대학측에서는 우리 산업계가 해외기술에만 의존하고 있음을 비판하고, 반면에 산업계는 막상 대학에 연구를 맡겨도 기대하였던 수준에 미치지 못한다고 응수하고 있다. 대학－산업간에는 상호 불신감이 깔려 있는 셈이다.

산업계와 연구소들 사이에도 심각한 괴리가 있다. 우리 산업계가 필요로 하는 기술은 선진국에서 1980년 이전에 개발한 노후기술이라고 보는 것이 정확하다. 기술도입 내용의 74퍼센트가 상품화된 지 5년 이상된 낙후기술이었다는 통계가 이를 입증하고 있다. 그러므로 해외 낙후기술 도입에 급급하였던 산업계의 입장에서 볼 때, '2001년'으로 대변되는 연구소의 현실 무시의 미래지향적 첨단연구에 흥미를 느낄 리가 없을 것이다. 즉, 연구소가 다루는 2001년을 향한 연구내용과 산업계가 필요로 하는 1980년 이전 기술 사이에는 최소한 20여 년의 시간적 격차가 있다. 기술수명을 3년으로 치면, 이 두 조직 사이에는 7세대 이상의 기술격차가 있는 셈이다. 만약 두 사람이 대화를 나누는데, 한 사람은 고조할아버지 시대의 생활상을 이야기하고 다른 한 사람은 증손자의 후생복지를 논의한다면, 이 두 사람의 대화가 얼마나 지속될 수 있겠는가? 산업계와 연구소 사이에는 협력의 기본요소인 '공동관심사'가 없을 수밖에 없다.

또한 정부와 연구소 사이의 관계도 협동을 저해하는 분위기가 만연되어 왔다.

연구소들의 운영을 지원하는 정부의 입장에서는 기술개발을 위한 정부의 지원예산이 잘 쓰이고 있는지를 파악하고자 할 것이다. 그러나 연구소측은 워낙 먼 장래에 개발될 첨단연구를 하고 있으니 정부가 연구 결과를 평가하고자 하여도 평가할 방법이 없다. 최근에 이루어진 연구소 평가작업의 결과도 정부－연구소의 상호 문제점 지적으로 끝나는 듯하다.

반면에 연구소측 입장에서는 정부의 이러한 관심이 통제로 인식될 것이다. 연구소측에서는 연구의 자율권을 침해당한다는 생각을 하게 되고, 반면에 정부는 의심 섞인 눈초리로 연구소를 지원하게 되니 연구소 연구원들은 사기가 떨어져서 연구를 못하겠다고 한다.

정부와 대학들 사이의 협동은, 연구활동 이전에, 대학의 기본교육 여건 확보에만 급급하여 왔다. 이와 같이 각 기관이 처한 입장만이 강조되고, 서로 다른 주장이 반복되다 보니 협동의 전제 사항인 '공동관심사'가 없고, 협력 분위기가 조성되지 않은 채로 지난 20여 년간 산학협동의 중요성만이 무성하게 강조되어 왔을 뿐, 어찌보면 귀중한 시간만 허송했다 하겠다.

우리 산업이 당면하고 있는 위기의 상황에서, 기술개발의 유일한 활로로 지목되고 있는 산·학·연·관 협동이 활성화되는 방안은 무엇인가?

가장 우선적으로 시행되어야 할 사항이 '우리의 현실을 있는 그대로' 보아야 한다는 점이다.

그렇다면 우리의 현실은 어떠한가? 산학협동을 수요-공급관계로 본다면, 기술개발의 수요가인 산업계는 그동안 해외의 낙후기술 도입에 의존하여 왔으므로 산학협동의 수요가 있을 수 없었다. 기술개발의 공급처인 대학은 능력부족으로, 연구소는 수요자와는 시간적 격차가 있는 미래기술에만 집착하여 온 탓으로 공급 기능도 없었다. 즉, 산학협동의 수요도 공급도 없었다. 협동의 모든 기본요소 없이 지내왔던 것이다.

그렇다면 산·학·연·관 협동 전망은 어떠한가? 그동안 강조되어 왔던 산학협동은 현실적 여건이 잘 파악되지 못한 채 구호에 그쳤던 점을 이제는 인정하여야 한다. 즉, 우리의 산학협동은 그동안 진지하게 추구하였던 적이 없다고 하여도 지나친 말이 아닐 것이다. 그러므로 역설적으로 이야기하자면, 지금까지는 산학협동이 부진하였던 적이 없었다고도 할 수 있다.

산학협동의 장래 전망을 '상식적'으로 추정하여 보자. 매우 명쾌한 대답이 나올 것이다. 즉, 우리가 진정하게 협동의 필요성을 깨닫게 되고, 공동목표 설정이 진지한 태도로 이루어질 수 있다면, 산학협동은 즉시 활성화될 것이다.

이를 위하여, 산학협동의 활성화 방안을 논의하기 전에, 먼저 사고의 혁신이 이루어져야 한다. 예를 들면, 기업이 자체 기술의 개발의욕이 없는 한, 즉 수요가 없는 한, 산학협동은 계속 부진할 수밖에 없다. 그러나 기업측의 수요가 생기면 대학의 연구기능이 활성화될 것이고, 연구소는 산업계의 요구에 부응할 수밖에 없으며, 정부의 과학기술정책도 기술행정 전문가의 손으로 수립될 수밖에 없을 것이다.

이 과정에서 경쟁과 평가, 생존과 도태가 반복되어야 한다. 즉, '협동하지 않으면 죽는다'는 각오에서 출발하는 산학협동과 '협동하지 않아도 버틸 수 있다'는 사고

아래서 시도되는 산학협동은 시작부터 그 결과는 전혀 다를 수밖에 없을 것이다.

이제 산학협동을 활성화하려고 시행해 왔던 각종 법령, 촉진방안, 지원제도가 왜 큰 결실을 낼 수 없었는지 이해될 것이다. 기술개발에 생각이 없는 기업, 능력이 부족한 대학, 국내 기술여건을 무시하는 연구소와, 기술을 모르는 행정가에 의한 과학기술정책이 계속되는 한 어떠한 활성화 대책도 근본적인 발전을 기할 수 없다.

이러한 과정에서 정부의 역할은 무엇인가? 정부의 역할도 따지고 보면 의지 차원의 문제다. 정부는 산·학·연·관 협동 분위기를 만들어야 한다. 정부는 과거에 흔히 주장되어 오던 대규모 투자, 지원육성법, 제도적 장치 등에 의존하지 않고서도 정부의 역할에 충실할 수 있다. 정부는 기술개발을 소홀히 하는 기업, 교육혁신을 등한히 하는 대학, 산업계의 현실적 요구를 계속 외면하는 연구소에 대하여는 앞으로 모든 지원을 즉시 중지할 것임을 선언하여야 한다.

이러한 분위기의 조성과 선별적 지원, 경쟁과 평가, 국익차원의 과학기술발전정책의 종합적 수행을 위하여 정부는 최우선작업으로서, 1960년대의 경제수석비서관 · 경제기획원(EPB) 개념에 대응되는 기술수석비서관 · 기술기획원(TPB)의 설립을 서둘러야 한다.

## 5. 선진국과 東京大
### —당장 배울 것이 없다—

선진이란, 말 그대로 '앞서 나간다'는 뜻이다. 곧, 모험과 실패, 이에 따르는 재도전이 반복되면서 선진이 이룩되는 것이다. 이러한 관점에서 '과연 우리는 선진국이 되고 싶은가'를 우리 스스로에게 물어보아야 한다.

새로운 사업을 구상하거나 경험이 없는 일을 추진하고자 할 때, 우리는 선진국을 찾아가 그들의 경험을 보고 배우고자 하는 경우가 많다. 대학도 선진국 명문대학의 교육제도를 참고하여 새로운 교육제도를 구상하는 경우가 많았다. 그러나 선진국 또는 선진국의 명문대학으로부터 우리가 '당장 배울 것이 없다'는 점을 인식하여야 한다.

우리 산업계가 요즈음 걱정하고 있는 내용은, 선진국

의 기술규제 못지않게, 중국과 태평양 지역 후발국들의 저임금과 양산(量産)기술 습득에 따른 맹렬한 추격이다. 특히 태국·말레이시아·인도네시아·미얀마 등 아세안 국가들은, 그들의 저임금 노동력과 현지에 진출한 선진국의 기술지원으로, 국제시장에서 우리의 산업경쟁력을 이미 상당히 약화시켰고, 앞으로도 이와 같은 추세가 계속될 것이다.

한편 우리 정부의 정책은 선진국 첨단기술을 추격하기 위한 발전계획에 주력하고 있다. 대학의 발전계획을 보면, 우리 산업구조의 여건과 기술수준을 무시하고, 선진국 명문대학의 사례를 들어 대규모의 교육투자가 선행되어야 한다고 주장하여 왔다. 즉, 산업계·정부·대학은 모두 각자의 입장만을 강조하며, 자구(自救)노력 또는 공동협력보다는 외부에서 문제의 해결방안을 찾으려 하고 있다.

이를테면, 산업계는 이미 떠나버린 과거에 집착하고, 정부·대학·연구소는 아득히 먼 미래를 동경하고 있는 셈이다.

이제 우리가 차분한 마음으로 명심하여야 할 사항이 있다. 즉, 산업계가 후발국가의 저임금과 근면성을 아무리 부러워하더라도, 우리가 옛날로 되돌아가 그들과 같아질 수는 없을 것이고, 정부·대학이 제 아무리 선진국의 첨단기술과 교육 여건을 동경하여도 우리의 처지가 단시일 안에 그들과 같아질 수는 없다는 것이다.

요즈음 텔레비전 방송국마다 해외에서 심층 취재한 산업기술과 교육 여건에 관한 기획 프로그램을 다투어 보도하고, 거의 모든 일간신문에서 선진국에 관한 취재 시리즈가 연재되고 있다. 이러한 분위기는 국가 위기상황을 알린다는 점에서 바람직한 일임에는 틀림없으나, 이제부터는 해외 견문 위주의 취재에서 시야를 돌려, 국내 여건을 정확히 파악하는 데 노력이 집중되어야 할 것이다.

필자도 이와 같은 선진국에 관한 취재 내용을 눈여겨 보면서, 이들로부터 배울 것이 무엇인가 파악하고자 하였다. 또한, 그동안 대학에 재직하면서 우리 대학의 발전을 도모하기 위한 방안으로, 선진국 명문대학의 교육제도를 참고하고자 노력한 경험이 있다.

이제 선진국의 첨단기술과 선진국의 명문대학에서 우리의 발전방안을 얻고자 하였던 우리 자세의 문제점을 지적하고, 우리가 진정으로 배워야 할 점이 무엇인가를 논의하여 보자.

먼저 선진국이 우리에게 주는 교훈은 무엇인가?

선진국의 특징을 국민소득과 교역량 등 표피적인 현상에서 찾고자 하는 시도는 번번이 실패할 것이다. 선진국으로 분류되는 나라들은 다른 국가들과는 확연히 구분되는 점이 있음을 강조하고자 한다.

선진국의 특성을 보면, 그들은 문화적 유산, 지리적 여건, 국민적 특성과 보유자원을 최대한 활용하였고, 그들 나름대로의 창조적 노력을 가미함으로써 '독특한 기술'과 '세계 최고의 산업'을 보유하게 되었으며, 이를 통하여 '독점시장'을 구축하여 왔음을 명심하여야 한다.

창조적인 노력도 국민성과 역사적 배경에 기반을 두고 있다. 미국의 소프트웨어 산업의 발전은 그들의 독특한 '개척정신'(frontier spirit)에 기초를 둔 창조이며, 일본의 전자산업은 '철저한 모방'을 통한 창조이며, 독일의 기계공업은 도제(徒弟)사상에 발판을 둔 '장인정신'의 창조이며, 이탈리아의 패션산업은 '문화적 자부심'에서 출발한 예술적 창조이다. 즉, 창조의 형태도 그들 나름대로의 전통적 토양에서 출발하고 있는 것이다.

선진국 기업들이 철저히 추구하고 있는 첨단제품도 기업 고유의 경영철학이나 원칙의 산물임을 알아야 한다. 플라스틱 조립완구를 만드는 레고(Lego)사는 표면처리 기술이 좋은 사출물 회사였으나, 이들은 지속적인 연구를 통해 경쟁력을 강화하여 마침내 세계시장을 석권하였다. 최근 통계에 의하면, 미국 중·상류층의 아동들은 3세부터 12세에 이르기까지 10년간 약 1,200달러 상당의 레고사가 만든 완구를 구입한다고 한다. 이제 레고사는 매사추세츠공대(MIT)를 비롯한 미국 명문대학에 거액의 연구비를 투입하여 반도체 고집적회로가 내장된 '첨단' 플라스틱 완구를 개발하고 있다.

자동공작기계 품목에서 세계시장의 50퍼센트 이상을 차지하고 있는 일본의 파낙(Fanuc)사의 제품개발은 회장이 직접 주도하고 있다. 이들의 개발 기획에 적용되는 원칙을 보면 '세계 최초의 제품을, 가장 좋은 품질로, 가장 값싸게 만들어야 하며, 어떠한 가격 경쟁에도 5년간 버틸 수 있어야 함'을 강조하고 있다.

화투를 만드는 작은 중소기업이었던 일본의 닌텐도(任天堂)는 미국의 대학과 협력연구를 통하여 게임기를 개발하였고, 세계시장을 석권하였다. 이 게임기는 이미 널리 보급된 기반기술만을 응용하고 있으나, 고도의 창의력과 끊임없는 신제품 개발로 이 분야에서 첨단의 위치를 차지하고 있다. 이 회사는 중소기업이지만 대기업과 당당히 맞서고 있다. 이 회사의 사원수는 800명에 불과하나, 수익성은 세계 굴지의 자동차 회사의 수익을 훨씬 능가하고 있다.

이들이 보여주는 교훈을 우리의 여건에 맞추어 적용하는 방안은 무엇인가?

이들은 한가지 사업에 전념하였고, 끊임없이 변신하였으며, '세계 제일'에 투철하였다.

기술혁신 과정은 어떠하였는가?

기술투자를 경영원칙으로 삼았으며, 기반기술을 토대로 발전하였으며, 첨단기술 분야에 '뛰어들기'보다는 첨단기술을 기존제품에 '끌어대는' 노력에 집중하였다.

이제 선진국, 선진국 기업이 우리에게 주는 교훈이 무엇인지 짐작될 것이다.

두말 할 것도 없이 문화적 배경, 국민적 특성과 현실여건에 철저한 발판을 두고 발전의 대상을 찾아냈다는 점이다. 즉, '창조'하여야 하며, 끊임없이 '변신'하여야 하며, 답답할 정도로 '세계 제일'을 고집하여야 하며, 이러한 원칙에 위배되는 일은 아예 무시하고 시도조차 하지 않았다는 점이다.

선진국 대학의 특징은 무엇인가?

그동안 우리 대학도 선진국 수준의 명문대학이 되고자 그들을 동경하며 지내왔다. 필자는 1982년부터 4년간 대학의 장기발전계획을 수립하는 연구에 참여하였고, 일본의 도쿄대학을 비롯한 10여 개 대학을 방문하였다. 1986년에는 컴퓨터 교육을 선도하는 미국 5대 명문대학을 시찰하고 우리 대학의 컴퓨터 발전방안을 수립하고자 노력한 경험도 있다.

1982년에 시작된 대학 장기발전계획은 그 당시 대학의 고민을 잘 나타내는 사업이었다. 학기마다 계속되는 학생들의 데모로 인하여 대학의 행정책임자들은 장래의 발전방안에 대해 고민할 정신적 여유가 없었다. 이와 같은 답답한 상황에서 대학발전계획의 수립을 위하여 7명의 교수로 구성된 전담 연구팀이 결성되었다. 대학 안에서 거의 연금되어 있다시피 하면서 강행되었던 이 연구가 어느 정도 틀이 잡히기 시작하였고, 이어서 일본의 도쿄대학과 교토대학, 쓰쿠바대학 등 10여 대학을 방문하고 그곳 교수들과 대학발전방안을 논의하였다.

우리를 맞은 도쿄대학의 교수들은 '총장을 위한 교수단'이란 비공식 명칭을 가진 6명의 교수팀이었다. 도쿄대학을 방문한 우리 교수팀은 학생데모에 시달리던 때인지라 그 대학에 특별한 관심사가 있었다. 즉, 1968년부터 시작된 도쿄대학 데모에서 학생들이 총장을 감금하였던 사태가 있었고, 이 과정에서 강당이 불탔으며, 1969년에 도쿄대학 졸업예정 학생 전원이 유급됨으로써 사회 전반에 걸쳐 큰 혼란이 일어났던 것이다.

"도쿄대학이 1969년 졸업생을 배출하지 못했는데 그 후유증은 무엇이냐"고 물었다. 그들끼리 서로 의견을 맞추더니, "대학의 기능이 1년 정지되면 사회 기능이 5년쯤 답보하는 것 같다"고 조심스럽게 대답하였다. 우리 대학은 매년 계속되는 데모에 학사관리도 철저하지 못하였고, 졸업생은 매년 배출되었으나 대학교육의 질적 저하현상이 가속되었고, 이런 졸업생을 받아들인 산업계가 이 후유증을 앓고 있는 셈이다.

우리 교수들의 당연한 관심은 '도쿄대학 교수들은 학생데모에 어떻게 대처하는가'에 모아졌다. 우리의 질문이 시작되었다. "교수들은 학생들이 데모하는 것을 어떻게 말리는가?", "학생들이 데모를 하지 않아서 말릴 것이 없다." "만일 데모를 한다면 뭐라고 하겠는가?", "하지 말라고 하겠다." "그래도 하면 어쩌겠는가?", "지도교수의 말을 듣지 않는 학생은 좋은 학생이라고 할 수 없다."

이쯤 되니 묻는 사람은 기운이 빠지고 대답하는 사람도 매우 곤혹스러운 표정이 되었다. 우리는 대학으로 돌아가서 총장님께 도쿄대학에서 배운 데모를 막는 지혜를 보고드려야 할 입장이 아닌가. 준비해 간 질문명세서를 생략하고 그들의 교육제도를 물었다.

도쿄대학은 3, 4학년부터 지도교수의 실험실에 배정되어 지도교수·조교수·조교와 석·박사 과정 대학원생으로 구성된 강좌에 소속된다고 했다. 한참 토론과 대화가 진행되자 도쿄대학 교수의 '완곡한' 충고가 있었다. "지도교수가 밤낮으로 연구하는 것을 솔선수범해 보이면, 이를 지켜보는 학생들의 생활도 지도교수의 자세를 배울 수밖에 없다." 즉, "왜 데모 걱정을 하느냐"고 반문했다. "학생들이 지도교수의 말을 듣지 않는다면 그 이유는 지도교수를 존경하지 않기 때문일 것"이라고 말하는 것이었다.

교수들의 연구자세도 우리와 달랐다. 도쿄대학의 여러 교수들에게 귀가시간을 물어보았는데, 거의 한결같이 10시 40분경에 실험실을 나온다고 하였다. 그 이유인즉 도쿄 교외로 직접 연결되는 지하철은 11시까지 운행되기 때문이라고 하였다. 국경일과 해외여행하는 기간을 제외하고는 거의 같은 생활을 반복하고 있었다. 우리 대학에서 밤늦게까지 불이 켜진 연구실은 얼마나 되는가?

일본 문부성·과학기술청·통산성 등이 대학에 지원하는 수준이 만족스러운지, 정부를 어떻게 설득하는지도 물어보았다. 대체적인 대답은 정부의 대학지원은 대체로 만족스러우며, 정부를 설득할 내용이 있으면 그들이 알아들을 때까지 '계속' 설득한다고 하였다.

방문하는 대학마다 이와 비슷한 질문과 대답이 반복되었다. 2년간에 걸쳐 10여 개 대학을 방문하였던 우리 연구팀은 총장님에게 장기발전계획의 내용을 보고하였다. 보고가 끝난 후 식사를 하면서 가장 중요한 마무리 보고가 이루어졌다. "한마디로 도쿄대학으로부터 당장 배울 것이 없다"는 보고내용을 들은 당시 이현재(李賢宰) 총장의 답변은, "바로 보았다"였다.

미국과 일본의 여러 대학을 방문하고 나서 느낀 점이 있다.

대학은 사회의 선도적 기능을 지녀야 한다. 대학이 그 '선도적'인 역할을 수행하자면 자연히 정부·산업계·사회의 인식이 부족하다고 느끼는 일이 많을 것이다. 우리 대학은 흔히 '정부의 인식이 부족하고', '산업계의 지원이 부족하며', '사회적 공감대가 없어서' 힘들다는 생각을 자주 해왔다. 우리가 조사과정에서 터득한 점은 주변의 인식이 부족하고, 지원이 부족하고, 공감대가 형성되지 않은 일일수록 오히려 '대학이 해야 할 일'이라는 생각을 강화하여야 한다는 것이다.

이와 같은 생각에 이어지는 결론은 '결국 대학이 나서야 한다'는 점이다. 우리 대학이 정부의 지원정책에만 의존한다면 대학은 사회의 선도 기능을 포기한 셈이다. 산업계의 지원이 부족하여 추진이 안된다면 결국 산업계가 알아서 할 때까지 기다리겠다는 논리로 이어진다.

사회의 공감대도 대학과 교수가 선도하여야 하는 것이다. 즉, 미래를 대비하기 위한 모든 정부의 정책, 산업계 지원, 사회의 공감대는 대학과 교수가 앞장서서 주도하여 형성하여야 할 것이다.

선진국, 선진국의 기업, 선진국의 대학이 우리에게 강렬하게 시위하는 것이 있다. 선진이란, 말 그대로 '앞서 나간다'는 뜻이다. 곧, 모험과 실패, 이에 따르는 재도전이 반복되면서 선진이 이룩되는 것이다.

이러한 관점에서 '과연 우리는 선진국이 되고 싶은가'를 스스로에게 물어보아야 한다. 즉, '모험과 실패, 좌절과 재도전, 집요한 노력과 처절한 희생을 각오하고 있는가'에 대해 자세를 바로 하고 진지하게 생각해 보고 결정하여야 한다.

설사 이러한 과정을 성공적으로 통과하였다 하더라도 2등은 인정되지 않는다. 어느 한 분야만이라도 1등을 하여야 한다.

## 6. 기업의 동맥경화증을 넘어서

### — 하이터치의 발상배경 —

한 부서의 개선노력이 다른 부서에 올바르게 받아들여지지 못한다면, 이러한 기업은 심각한 동맥경화증을 앓고 있다고 보아야 한다. 부서간에 만연된 동맥경화증은 관리층의 신경마비 증세, 경영층의 뇌졸중으로까지 연결된다.

우리가 주변에서 흔히 듣는 동맥경화란 혈관 속에 이물질이 쌓여 혈관이 좁아지거나 굳어지는 질환으로서, 이 증세가 악화되면 신경장애 혹은 뇌졸중으로 연결되어 전신마비 또는 사망에 이를 수 있는 무서운 질환이다. 기업이 안고 있는 문제점을 몸의 질환에 비유하면 오늘의 우리 기업은 동맥경화증을 앓고 있다고 할 수 있다.

기업의 동맥경화증을 논하기 전에 우선 어떤 것이 건강한 기업인가를 살펴보기로 하자.

기업의 시장경쟁력은 제품의 제조원가가 낮을수록, 판매가와 판매이익이 높을수록 강할 것이다. 이와 마찬가지로, 산업의 건강상태는 우리 제품이 국제시장에서 차지하는 판매가격과 제조원가의 경쟁력을 평가해 봄으로써 진단될 수 있다.

판매가격은, 기술과 시장점유율이 가장 앞선 선두기업이 일방적으로 결정하는 권리를 가지며, 나머지 후발 경쟁사들은 선두기업이 결정한 제품가격에 준하여 판매가를 정할 수밖에 없다. 따라서 우리가 만드는 제품의 원가가 얼마이든간에, 선진국이 정한 판매가격보다 상당히 싸게 책정되어야 비로소 국제시장에서 경쟁이 가능한 것이다.

판매가격을 우리 마음대로 정할 수 없다고 하면, 시장경쟁력을 강화할 수 있는 두번째 방법은 오직 제조원가를 낮추는 길이다. 기술적으로 앞선 기업은 신기술과 핵심부품을 이용한 새로운 제품을 개발하고, 해외기술이전을 규제함으로써 후발업체의 추격을 조절할 것이다. 그러나 기술이 부족한 후발기업은 새로운 설계기술의 혁신이나 첨단설비의 제작을 통한 원가절감을 기대할 수 없다. 따라서 지난 30여 년간 우리가 계속 강조해 오고 있는 원가절감운동의 대상은 주로 작업생산성 향상에 국한되었다.

그간 생산성 향상을 통한 원가절감운동마저도 큰 효과를 보지 못한 이유는 이러한 노력이 기업 전체의 종합적인 노력으로 연결되지 못하였기 때문이다.

원가절감운동이 성공적으로 추진될 수 없었던 경험사례를 들어본다.

1980년대 초에 우리 연구팀은 통신기기 제조공정의 생산성향상 연구를 수행한 바 있다. 당시 이 회사의 애로공정은 통신기에 내장되는 전자회로기판(PCB) 작업이었으며, 이 공정의 불량률이 매우 높아서 제조원가도 늘어나고 있었다. 문제가 된 회로기판의 불량 내용을 분석해 보니까, 200여 개의 전자부품 가운데서 약 10개 부품에서 발생하는 납땜불량이 전체 불량의 50퍼센트를 웃돌고 있었다. 이 납땜불량의 원인은 작업자들이 사용하던 전기인두가 규격도 일정하지 않고 값싼 저급품이었으며, 조금만 사용하여도 인두의 끝이 넙적하게 닳아서, 한 부품을 납땜할 때에 가까이 밀집해 있는 다른 부품들까지도 한꺼번에 납땜이 되기 때문인 것으로 밝혀졌다.

현장 기사의 설명에 따르면, 이 문제를 해결하기 위해

정밀 납땜이 가능한 표준규격의 인두를 구입해 줄 것을 여러 번 구매부에 요청했었다고 한다. 그러나 이 요청은 경비절감운동을 벌이고 있던 구매부의 "불요불급한 외제 공구 구입 불가" 방침 때문에 묵살되었다.

그래서 이번에는 회로설계부에 불량률이 높은 10개 부품 주위의 설계간격을 넓혀 납땜불량이 일어나지 않도록 설계변경을 요청하였으나, 설계부에서는 "구매부에서 거절당한 문제를 왜 자기 부서로 떠넘기려 하느냐"며 "생산부서의 요구를 일일이 다 들어주다간 우리일을 못한다"고 하여 불량제품이 계속 생산되었노라고 하였다. 한 부서의 개선노력이 다른 부서에 올바르게 받아들여지지 못한다면, 이러한 기업은 심각한 동맥경화증을 앓고 있다고 보아야 한다.

동맥경화증은 치료를 게을리하면 신경마비와 뇌졸중으로 악화되기 쉽다. 원가절감을 강조하는 경영진이 제조원가의 구조조차도 정확히 파악하지 못하고 있는 경우를 본 적도 있다.

우리 연구팀은 1982년부터 약 2년간 공장관리전산화 연구를 수행하였다. 이 전산화 작업은 생산공정의 각종 자료를 컴퓨터에 입력하여 그날 그날의 생산여건을 반영한 제조원가가 즉시 산출될 수 있는 프로그램을 작성하는 일이었다. 프로그램이 완성되어 컴퓨터로 계산된 제조원가 내용이 산출되었고, 이 컴퓨터 계산 내용과 회사 측이 사용하여 오던 제조원가를 비교하여 보았다.

그 결과 이 회사가 생산하고 있던 40여 개 제품 가운데서 14개 제품의 과거 원가와 컴퓨터 계산 결과가 서로 현격한 차이를 보이고 있었다. 어떤 주력 수출제품의 경우, 그간 사용해 왔던 제조원가는 875원으로 알고 수출상담을 해왔는데, 컴퓨터로 새로 계산한 원가는 1,200원으로 나와서 큰 혼란이 일어났다.

회사 측에서는 우리 연구팀의 작업내용을 믿지 못하고 철저한 검토작업을 하였다. 재검토 결과, 제조공정을 거치며 발생한 각종 불량으로 인한 재가공 인력비용, 부품 추가교체비용, 불합격품 재조립비용 등 제조원가에 반영되지 않았던 비용이 325원이나 되어, 875원으로 알고 있던 제품의 원가는 1,200원으로 확인되었다.

즉, 그간 이익이 나는 것으로 알고 적극 수출한 제품이 실제로는 손해를 보았고, 손해를 보는 제품이라고 생각하고 가급적 상담을 피해 왔던 제품이 실제로는 큰 이익을 낼 뻔하였던 경우가 40개 가운데 14개나 되었던 것이다.

부서간에 만연된 동맥경화증은 관리층의 신경마비 증세, 경영층의 뇌졸중으로까지 연결되어 원가가 뒤바뀐 채 수출을 독려해 왔던 것이다.

그간 산학협동 연구에 종사하면서, 우리 기업의 원가절감운동이 형식적으로 추진되는 듯한 느낌을 가졌던 경우가 많았다. 제조원가의 구조가 파악되지 못한 채 추진되었던 원가절감운동은 실패할 수밖에 없다. 문제점이 정확히 규명되지 못한 개선운동도 많았다. 공장 관리자가 생산성과 품질 향상을 독려하면 작업자는 부품불량을 탓하고, 부품을 공급하는 협력업체는 가격인상을 요구하며, 본사의 구매부서는 회사의 방침상 부품가격 인하를 강조한다. 이 문제를 접한 경영진은 "'하면 된다'는 긍정적 사고가 결핍되었다"고만 지적한다.

기업의 원가절감은 우리 기업들이 아무리 적극적으로 추진하여도 최소한 5, 6년 이상 소요될 것으로 생각한다. 왜냐하면 원가절감에 앞서 우리 기업의 동맥경화증을 치유하여야 하며, 이 증세가 치유되지 않는 한 근본적인 개선을 기대할 수 없기 때문이다. 그러므로 기업 내부에 만연된 동맥경화증 치료에 최소한 3년이 책정되어야 하며, 완치 후 각 부서의 노력이 효과를 나타내려면 아무리 빨라도 2, 3년이 소요될 것이기 때문이다. 그러나 5, 6년 후에 나타날 제조원가의 절감효과만을 기대한다면, 우리 산업은 회복 불가능한 사양길로 접어들 것이다. 설혹 제조원가 절감운동이 성공적으로 추진된다 하더라도 이것만으로는 우리 산업이 발전할 수 없다. 이제 그 이유를 상식적으로 생각하여 보자.

흔히, 새로운 기술의 수명은 3년이라고 한다. 또한 신제품의 개발주기는 6개월 내지 1년으로 단축되고 있다. 따라서 비록 5년 만에 원가절감운동이 성공적으로 결실을 맺는다 하더라도, 그 시점에 가서 보면 이미 두 번이나 새로운 기술로 바뀌었고, 적어도 다섯 차례 이상의 신제품 모델이 발표된 후일 것이다. 이와 같은 이유에서 우리는 원가절감운동과 동시에 새로운 돌파구를 마련하지 않으면 안된다.

그래서 다시 짚어본 것이 우리가 판매가격을 결정하는 방안이었다. 비록 첨단기술은 없다 하더라도, 선진국 기업과 겨루면서 우리가 판매가격을 결정할 수 있는 방안은 없겠는가?

이러한 관점에서 상식적인 해결방안이 대두되었다. 즉, 우리가 "세계 최초의, 우리만의 독특한 고급상품을 만들어 새로운 시장을 확보할 수 있다면" 우리는 첨단기술이 없더라도 제품판매가를 결정할 수 있을 것이라는 생각이 들었다. 이와 같은 배경에서 하이터치(High Touch)의 발상이 시작된 것이다.

우리는 첨단기술이 없으므로 당분간 첨단제품은 개발할 수 없을 것이다. 그러나 고부가제품, 즉 하이터치 제품은 만들 수 있다. 즉, 우리가 보유하고 있는 기술을 체계적으로 종합하고, 우리의 창의력을 가미함으로써 소비자의 잠재욕구를 자극하는 고급제품을 만들어 새로운 시장을 창출하려는 개념이 '하이터치' 정책이다. 하이터치 제품은 유사 경쟁품이 없고, 잠재수요 개발을 통한 신규시장(Niche Market)을 개척함으로써 우리가 판매가격을 정할 수 있다. 여기서 우리 작업자의 자부심과 장인정신을 자극함으로써 제조원가 절감과 품질향상으로 연장될 수 있을 것이며, 우리만의 것을 만든다는 신바람 속에서 동맥경화증의 치료도 가속될 것이다.

하이터치 연구의 추진과 함께 우리 기업의 동맥경화증을 치료한다면, 우리에게 미래에 대한 희망과 비전이 생길 것이다. 그러나 이 운동의 성공을 위하여는 경영층과 전문기술진의 희생적 노력이 전제되어야 한다.

이와 같은 취지에서, 1981년부터 하이터치 연구의 이론적 체계가 세워졌고, 1987년부터 신제품 개발에 착수했다. 착수 후 2년 동안 개발된 하이터치 제품은 12개이며, 이 가운데에서 '유아용 컴퓨터'를 위시한 5개의 제품이 대량 생산되어 국내·외에서 판매되고 있다. 이 연구과정에서 180여 건의 국내·외 특허출원이 이루어졌고, 《뉴욕타임즈》, BBC-TV, 2천년대 미래상품 잡지 등 국내외 언론과 미국을 위시한 8개 국 소비자로부터 좋은 반응을 얻고 있다.

다음에는 초기에 참여하였던 하이터치 연구팀, '25인의 죄수부대'가 성취한 개발성공담을 소개하기로 하자.

# 轉

7. 하이터치 연구팀
8. 신들린 작업자들
9. 중소기업 연구개발 콘소시움

## 7. 하이터치 연구팀

— 25인의 죄수부대 —

하이터치 죄수팀은 3기를 끝으로 1990년에 해체되었다. 이들과 같은 '죄수'가 전국에 산재해 있음을 상기하면, 우리 산업발전의 여지가 무궁무진함을 확신하게 된다. 다만 이제 필요한 것은 "한번 해보자"고 마음을 다지는 일뿐이다.

약 10여 년 전에 본 영화 가운데 '12인의 죄수부대'(Dirty Dozen)라는 전쟁영화가 있었다. 이 영화는 제2차 세계대전중 미군 장교 한 명이, 중형을 선고받고 군 교도소에 수감되어 있는 죄수 12명을 차출하여, 이들과 함께 매우 어려운 군사작전을 성공적으로 수행하는 내용을 다룬 것으로 기억된다.

1987년부터 산학협동 연구로 추진되었던 하이터치(High Touch) 연구팀을 이 회사 사람들은 '25인의 죄수부대'라고 불렀다. 이들 연구원들은 회사업무를 수행하는 과정에서 잘못을 저지른 바는 없으나, 본인의 참여의사와는 별 상관없이 성공 가능성이 매우 낮은 연구과제에 차출되었다는 뜻에서 이같은 별명이 붙여진 것 같다.

우리 연구팀은 1987년 말경에 전자제품의 하이터치로 고부가제품을 개발하자는 연구제안서를 그 기업에 제출하였다. 그간 하이터치 연구의 추진을 여러 기업에 제의한 바 있었으나 별 반응을 얻지 못했으므로 이 기업에 대해서도 큰 기대는 하지 않고 있었다. 현재 모 출판사를 경영하는 김용원 사장이 당시 그 회사의 사장이었는데, 제안내용을 듣고 나서 "즉시 추진하자"며 예상 밖의 적극적인 반응을 보였다. 이에 따라, 연구추진팀을 만들어 달라고 요청하였다.

여느 다른 회사들과 마찬가지로, 그 회사의 각 부서는 고급인력이 부족한 형편이어서, 하이터치 연구를 위해 인력을 차출하는 일이 쉽지는 않았으나 김사장의 독려 끝에 1988년 중반에 25명의 젊은 사원들로 구성된 연구팀이 결성되었다. 이 팀은 연구소의 제품개발연구원 15명과 기획·영업·상품디자인·홍보를 담당하던 사원 10명으로 구성되었다.

이들 25명은 여의도에 연구실을 따로 두고 업무를 시작하였다. 이들은 각자가 매우 강한 개성을 지니고 있으며, 서로 다른 업무에 종사하던 사람들이 갑작스럽게 한 곳에 모이게 되어, 사용하는 전문용어도 다르고 사고방식도 다양하여, 서로 유대감이 없는 것이 가장 큰 문제였다.

또한 초기에는 그 회사의 여러 부서장들이 이 사업의 타당성을 논의하는 회의가 많았는데, 어떤 부서장이 "이 죄수부대로 신제품 개발에 성공하면 내 손에 장을 지진다"라고 농담을 했다는 소문이 퍼지기도 하였다. 어떤 부서에서는 그 부서로부터 파견된 연구원이 "왜 하이터치 팀에 가게 되었는지" 그 죄목과 전과(?)가 관심사가 되고 있다고 하였다. 이런 이유들 때문에 초기의 이 연구팀의 분위기는 어수선하고 침울하기까지 했다.

하이터치 연구를 시작하면서 가장 절실하고도 시급한 업무는 이들을 위한 집중적인 교육과 훈련임을 알게 되었다. 그 이유는 다음의 몇 가지 특성으로 요약될 수 있다.

첫째, 이들이 알고 있는 국내외 기술동향이나 기술관

리에 관한 견문과 지식이 예상외로 취약하였다. 현실과는 거리가 있는 대학교육을 받고 취직하였고, 제품개발 일정에 쫓기다 보니 직급은 올라갔는데, 이에 반하여 기술관리자로서의 업무지식의 재충전은 부족하였던 것이다.

둘째, 기술에 관한 체계적 개념이 취약하였다. 이 회사와 기술제휴 관계에 있는 선진국 기업에서 만드는 제품, 모델, 핵심부품의 관리번호는 통달하고 있었으나, 근본적인 기술의 내용과 기술이 연관 종합되는 기술체계에 관해서는 의외로 잘 모르고 있었다.

셋째, 창의적 노력의 필요성을 인정하면서도 막상 이를 추진하는 데는 대단한 두려움을 느끼고 있었다. 이미 선진국에서 개발되고 시장판매가 성공적으로 이루어지고 있던 제품의 모방에만 익숙해 왔으므로, 새로운 제품의 개발을 착수하는 데 불안한 태도를 보였다.

넷째, 실패할 가능성이 조금이라도 있으면 매우 예민한 거부반응을 보였다. 또한 소요 인력의 추정이나 개발 일정 계획을 세울 때는 지나칠 정도의 여유를 갖고 목표를 세우려는 경향이 강했고, 심할 경우에는 '목표의 초과

달성'을 이루기 위해 과다한 예비자원을 미리 확보하려는 습성도 강했다. 이러한 경향은 실패를 좀처럼 인정하지 않는 업무 분위기에서 지내온 때문으로 생각되었다.

다섯째, 매우 자존심이 강한 사람들이었다. 자기가 맡은 부분의 설계기준 또는 부품 신뢰성은 기술자의 자부심을 내세우며 최고 수준을 강조하였으며, 자기가 주장한 내용이 흡족하게 반영되지 못한 경우에는 매우 섭섭해 하였고 곧 무관심한 태도로 바뀌기도 하였다.

이들과의 교육일정은 매일 오전 8시부터 밤 11시까지 강의와 토론이 되풀이되는 강행군이었으며, 연구과제 수행과 결과 발표 등 쉴 사이 없는 훈련이 거듭되었다. 강의 내용은 주로 기술관리, 연구개발행정, 해외기술정보의 분석기법, 소비자의 잠재욕구 파악방법 등에 관한 이론교육과 연구제안서, 연구보고서의 작성법, 구두발표기술의 실습이 강조되었다. 특히 연구개발 분야의 지도자가 구비하여야 할 자질을 알려주고 이를 연마시켰고, 연구개발의 성공 · 실패사례 등을 소개함으로써 창의적 노력의 중요성을 강조하고, 실패에 대한 두려움을 해소시켰으며, 신제품 개발을 담당하는 기술자의 자부심을 불어넣었다.

교육을 시작한 지 약 2개월이 지났을 때였는데, 하루는 점심시간에 한 연구원이 오더니 "이제부터 한번 열심히 해보겠으니 너무 걱정하지 말라"고 나에게 위로를 하였다. 그래서 그날 오후에 신제품 개발에 착수할 의사가 있는 지원자를 모집하였더니 5명이 당장 착수하자고 나섰다.

이들에게 그간 미리 구상해 놓았던 신제품 다섯 가지의 기능과 내용을 자세히 설명해 주고 각자에게 한 제품씩 할당하였다. 이들 5명은 원래 소속되었던 부서장에게 개발내용을 보고하고, 부서장으로부터 3, 4명의 인력을 지원받고 각자가 연구책임자가 되어 개발을 추진하였다. 이 5명의 '죄수'들은 연구소에서 숙식을 해결하였고, 4개월 후에는 5개의 하이터치 시제품이 모두 완성되었으며, 이 과정에서 76건의 특허를 출원하였다.

1989년에는 17명의 '죄수'가 '유아용 컴퓨터'를 비롯한 7개의 하이터치 제품을 개발하였고, 106건의 특허출원이 이루어졌다.

이렇게 해서 만든 12개의 하이터치 제품은 미국과 일본에서 학술발표, 기업 세미나, 소비자 반응조사로 연결되었다. '하이터치 텔레비전', '음성인식 전자렌지', '리

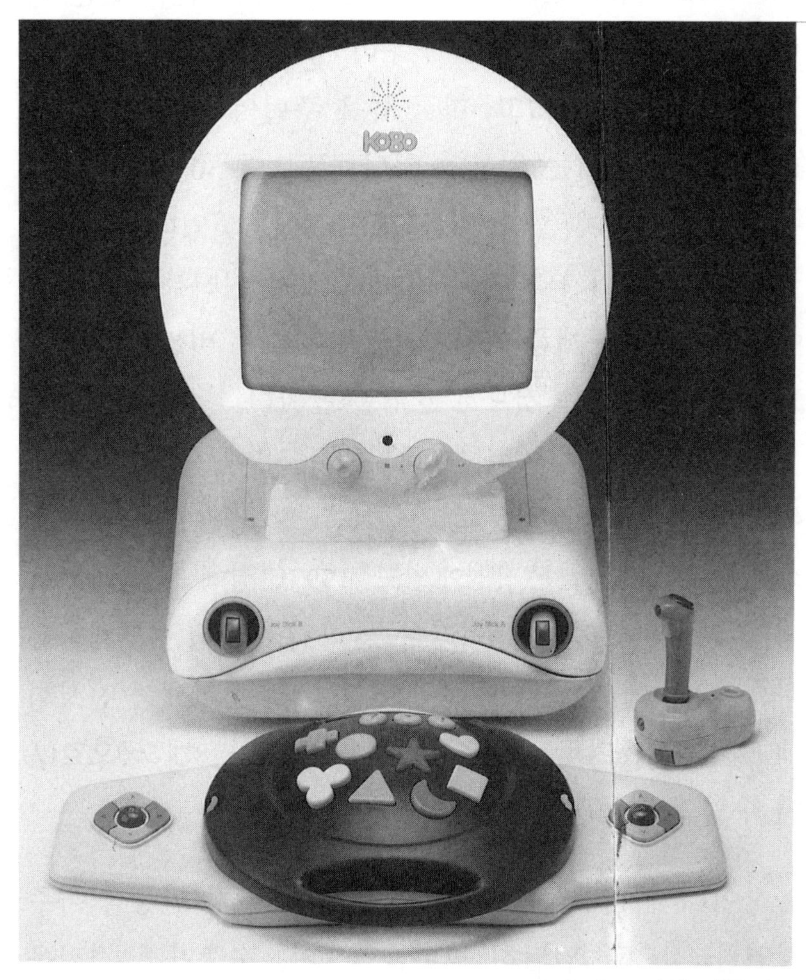


3세 유아를 위한 컴퓨터

모콘으로 작동되는 진공청소기'는 미국의 권위 있는 미래상품 전문지인 《2001년에 우리 생활을 변혁시킬 250개 발명품》에 선정되었고, 미국 뉴욕 주변의 대형 유통업체 15개 회사로부터는 일본의 첨단제품보다 50퍼센트나 높은 판매가격을 받을 수 있을 것으로 평가되었다. 또한 미국 중상층 소비자와 여피족 300명과의 인터뷰조사 결과에 의하면, 기존제품 가격의 3배를 웃도는 비싼 가격이라도 살 의향이 있는 것으로 호평을 받았다.

특히 '유아용 컴퓨터'는 세계에 유사제품이 없는 최초의 개념이었으며, 일본 전자업계를 방문하여 이 제품을 소개하였더니, 일본기업에서도 1993년경에 개발하기로 이미 기획되었던 내용이라며 놀라워하였다. 이 제품은 라스베가스에서 열리는 권위 있는 국제 전자제품 전시회에 출품되어 미국·일본·독일을 위시한 8개 국으로부터 수입의뢰가 들어왔다.

하이터치 연구팀은 이러한 해외의 열렬한 반응을 아주 당연한 것으로 담담히 받아들였으며, 수출가격 결정을 위한 가격전략을 수립하였다. 해외의 호평을 당연시하였던 이유를 설명하면 수긍이 갈 것이다.

우리 연구팀은 치밀한 해외동향조사를 하였고, 선진국

제품의 취약점과 소비자의 잠재욕구를 철저히 조사·분석하였으며, 입버릇처럼 '세계 최초', '고부가제품', '독특한 디자인'과 '한국의 문화적 배경'을 강조하여 추진하였다. 아무리 노력해도 따라잡기 힘든 일본의 '경박단소'(輕薄短小) 기술은 아예 포기하였고, 대신 한국의 '여유와 투박한 멋'을 강조하였다.

하이터치 제품의 기능적 특징은 소비자의 잠재적 욕구를 자극하는 데 주안점을 두었다. 소비자의 잠재적 욕구란 어떤 것인가 예를 들어 살펴보기로 하자.

텔레비전 프로그램을 비디오(VTR)에 예약녹화를 하고자 할 때, 녹화 순서를 적은 사용설명서가 복잡하다고 생각한 소비자가 많을 것이다. 하이터치 팀이 만든 비디오는 음성으로 예약녹화 순서를 가르쳐주며, 지시하는 대로 단추만 세 번 누르면 된다.

헤비급 권투경기 중계의 시작시간을 깜박 잊고 있다가 잠시 후에 텔레비전을 켜보니 벌써 초반에 경기가 끝나서 중계방송을 마친다는 아나운서의 아쉬운 작별인사를 보고 만 적도 있을 것이다. 이때의 아쉬움을 해결해 준다면 소비자의 잠재욕구를 만족시켜 줄 수 있을 것이다. 하이터치 텔레비전에 예약시청 기능을 추가한 이유가 여기에 있다.

오디오 제품에 붙어 있는 이퀄라이저(equalizer) 기능을 제대로 활용할 줄 아는 소비자는 몇이나 되겠는가? 오디오에 작은 컴퓨터를 붙이고 음악 종류에 따라 저음·고음 부위가 자동으로 조정되고 가수의 음성 특성에 따라 음색이 자동으로 조정된다면, 이러한 오디오는 음질이 다소 떨어지더라도 고급제품으로서의 독특성을 인정받을 수 있을 것이다. 하이터치 오디오는 인공지능을 이용한 이퀄라이저 자동조절 기능이 부착되어 있다.

진공청소기로 카펫 청소를 해본 사람은 먼지 많은 곳을 스스로 찾아다니는 진공청소기를 상상해 본 적이 있을 것이다. 이러한 진공청소기를 하이터치 연구팀이 만들었다. 지극히 상식적인 이 기능들이 세계 최초로 적용된 것이다.

이와 같은 창의적인 신기능은 첨단기술이 발달하는 속도를 능가하며 개발될 수 있다. 미국 또는 일본에서 하나의 첨단제품이 나올 때마다 우리의 하이터치 제품은 4개에서 6개가 개발될 수 있을 것이다.

한국적 특성이 반영된 것을 몇 가지 열거하면 다음과 같다.

우리가 만든 '하이터치 텔레비전'은 사람 모양으로 생겼고, 시청자의 자세에 따라 화면이 좌우 상하로 따라 움직인다. 이는 마치 '어린이를 어르는 우리 어머니'의 모습과 흡사하다. 미국 소비자들은 이 텔레비전을 보고 'ET'라고 부른다. 디자인 출발점은 달랐으나, 의외로 '친밀한 느낌'을 받는 것은 공통적이었다.

'Y-오디오'로 불린 전축은 제주도의 돌하루방에서 디자인 아이디어를 얻었다. 일본의 날렵한 오디오 제품 대신 투박한 장승의 멋을 강조한 것이다. 이 제품을 놓고 미국의 젊은 여피족들은 공상과학 영화에 나오는 제품 같다고 좋아하였다.

'리모콘으로 움직이는 진공청소기'는 방랑 풍류시인을 연상하게 하는 표주박에서 형태를 잡았는데, 미국 주부들은 마치 '귀여운 눈사람'이 집안청소를 해주는 것 같다고 좋아하였다.

'휘모리'로 명명한 제품도 있다. 국악에서 가장 빠른 가락이 '휘몰이'이다. 이 제품의 개발은 사물놀이 공연이

ET라 불리는 TV

돌하루방을 닮은 오디오

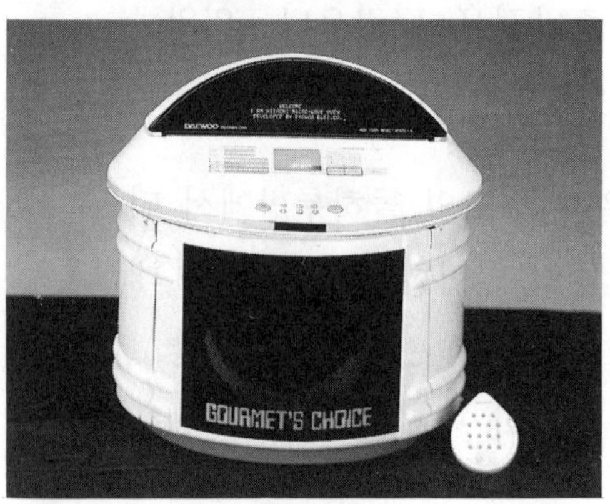


음성으로 작동되는 전자렌지

리모콘으로 작동되는 진공청소기

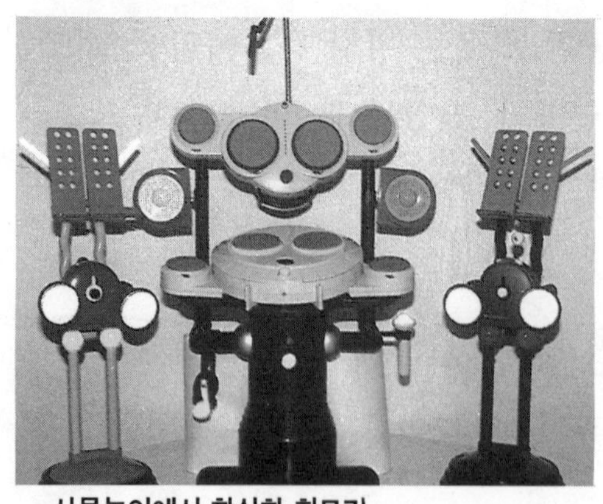

사물놀이에서 착상한 휘모리

음성으로 예약녹화하는 TV-비디오

한국적 특성이 반영된 하이터치 제품들

해외에서 대성황을 이뤘다는 기사를 읽고 착상되었다. 우리 사물놀이 예술인의 공연이 거듭될수록 휘모리의 수입요청이 늘어날 것이며, 휘모리가 많이 보급될수록 사물놀이 해외공연 요청도 쇄도하리라 생각한 것이다.

이러한 사례에서, 어떤 정형화된 디자인 원칙을 강조하려는 뜻은 없었다. 다만 '가장 한국적인 문화패턴'을 반영한 제품이 세계시장에서 독특한 인상을 줄 수 있을 것이고, '민족문화의 특성'에 의존하여야 '세계시장에서 인정'받을 수 있는 디자인의 흐름이 지속될 수 있다고 믿었다.

하이터치 제품의 시장전략은 무엇인가? 소비자의 잠재적 욕구를 선도하는 하이터치 제품은 정보혁명시대가 진행될수록, 첨단기술이 발달할수록 개발대상이 더욱 확대되고 가속될 것이다. 그러므로 하이터치가 주장하는 시장전략은 새로운 시장을 창조하는 무주지선점(無主地先占)이다.

상상해 보라. 증기기관차로 시작된 산업혁명시대가 마침내 오늘날의 복잡한 물질문명을 이룩하였듯이, 컴퓨터로 시작된 정보혁명시대는 앞으로 더욱더 넓고 새로운 기계 · 제품 · 서비스의 세계를 전개할 것이다. 주인 없는 미래의 시장을 대비하는 일이 저급품 시장에서 치열한 가격경쟁을 벌이는 것보다 훨씬 가능성이 높은 길임을 알 수 있다.

소비자의 잠재적 욕구를 충족시키는 인간공학적 기능, 민족문화에서 출발하는 독특한 디자인 기능, 주인 없는 시장을 창조하는 무주지선점 전략 등에서 요약될 수 있는 하이터치의 기본철학은 '보이는 것은 포기하고 보이지 않는 것만을 추구'하는 데 있다.

그러나 하이터치 연구팀을 운영하면서 그간 산학협동 과정에서 체험하였던 우리 사회의 고질적 증상, 이로 인한 곤경과 좌절을 또다시 겪어야 했다.

해외 낙후제품 모방에만 훈련된 젊은 연구원, 공동협력을 저해하는 부서간의 장벽, 실패를 두려워하는 안주의식, 망설이면서 시기를 놓치는 의사결정, 책임회피를 위해 운영되는 각종 위원회의 기능, 수많은 도장이 순서대로 찍혀야 업무가 시작되는 지루한 결재과정, 전임자의 잘못은 해당 부서의 책임이 될까봐 덮어두고, 현재의 문제점은 주주총회를 의식하여 보류하는 모든 관행이 한

데 어울려 왔다.

하이터치 연구를 수행한 죄수부대 역시 이러한 장벽을 수없이 경험하였다.

실무부서의 기획 담당자는 개발일정을 세우면서 과다한 여유시간을 포함시키려 하였고, 회로설계 기술자는 신뢰성을 이유로 설계의 해외발주를 주장하였다. 기구 담당자는 국내 금형기술의 문제점을 들어 제품의 특성을 살리는 곡면처리를 기피하였고, 산업디자인 담당자는 예술적 감각이 부족한 사람과는 토의가 곤란하다고 하였다. 홍보 담당자는 낯익은 외국제품 형태를 채택하는 것이 소비자 홍보에 적합하다고 하였고, 수출가격 조정에 시달려 온 수출 담당자는 고부가의 신제품개발보다는 가격경쟁력이 좋은 단순제품 개발을 주장하였다. 합동회의에 참석한 생산 담당자는 불량률이 높을 것을 우려하여 "신제품 생산은 아직 시기상조"라고 주장하였다.

하이터치 연구팀은 이러한 문제들을 극복하였다. 이러한 사회적인 문제를 극복하는 데 특별한 비법이 있을 리 없었다. 문제가 생길 때마다 연구의 목표 설정에서부터 추진경과 · 일정계획 · 개발전략을 놓고 끝없는 수정과 토론을 거쳐 해결방안을 강구하였다. 실무부서와 연구팀 사이의 의견조정을 위하여 새벽까지 진행되는 회의를 20, 30회씩 되풀이했던 경우가 허다하였다. 모두 탈진한 상태에서, 회의를 빨리 끝내고 '잠 좀 자려고' 협력을 약속하기도 하였다. 그러나 결국은 합의하였고 해결방안이 마련되었으며, 목표가 더욱 분명해졌고 때로는 개발일정이 단축된 경우도 있었다.

하이터치 연구팀과 함께 생활하면서 절실히 느낀 점이 있다. 하이터치 연구원의 학력을 보면 눈에 익은 명문대학 출신이 많지 않았다. 석·박사 출신도 없었다. 열심히 일하는 적극적인 연구원은 실적을 올려서 좋았고, 소극적인 연구원은 말없이 도와줘서 고마웠고, 평소 실적이 부진하였던 연구원은 술좌석에서 심한 주정으로 다른 사람의 스트레스를 일시에 해소해 줌으로써 연구를 촉진시켰다. 하나같이 없어서는 안될 보배들이었으며, 모두가 더불어 기여하였다.

중요한 지혜를 가르쳐준 고마운 선배 이야기도 빼놓을 수 없다.

김용원 사장은 바둑을 시작한 지 1년 만에 1급이 되었고, 골프를 시작하고는 1년 만에 프로경지에 들었다고 소문난 분이다. 이 분에게 어떻게 그리도 빨리 골프를 잘 치게 되었느냐고 물었더니, 골프를 시작하기 전에 골프 전문서적을 100권도 넘게 읽었다고 했다. 책마다 가르쳐 주는 내용이 너무 많아서 평생을 배워도 모자랄 것 같더란다. 그래서 자신이 소화할 수 있는 간단한 원칙에만 충실하였다고 했다. 즉, 멀리 치려고 혹은 멋있게 치려고 무리하지 않았고, 분수에 맞게 똑바로 치는 것에만 전념하였다는 것이다. 이 분은 품의문서 내용을 한번 훑어보고는 곧 결재를 한다. 중요한 업무결정을 그렇게 해도 되느냐고 물었더니 내용에 얽매이지 않고 그 사람의 눈만 본다고 하였다. 김용원 사장은 "복잡한 사물의 처리는 핵심에 해당하는 요체에만 집중하라"는 것을 가르쳐주었다.

하이터치 연구와 관련해서 함인영 교수의 이야기도 빼놓을 수 없다. 이 분의 키는 190센티미터쯤 되고 몸무게는 "다이어트를 해서 120킬로그램 남짓하다"고 한다. 이야기를 하면서 흥이 나면 옆사람 어깨도 두들기고 등도 쳐준다. 이때마다 오장육부가 흔들려서 모두 옆에 앉기를 싫어한다. 함교수는 1989년 12월 12일에 열린 과학기술진흥회의 초청연사로 잠시 고국을 방문하였다. 함교수는 회의에 모인 국내 저명인사 앞에서 “글을 모르는 유아들이 쉽고 재미있게 배울 수 있는 세계 최초의 유아용 컴퓨터를 한달 이내에 개발해 보이겠노라”고 호언장담하였다. 참석하였던 정치가 · 기업인 · 학자들이 한번 해보라고 하였다. 이 분은 약 일주일 후인 12월 18일 김용원 사장을 만나 연구비를 대라고 하였다. 김사장이 지원을 약속하자 즉시 필자를 불러 “한달 이내에 개발하라”고 명령하였다.

이틀 후인 12월 20일 하이터치 연구팀에게 함교수 이야기를 하였다. 모두들 웃어넘길 줄 알았는데 이구동성으로 “한번 해보자”고 해서 어이없이 시작되었다. 크리스마스 휴가, 연말연시 휴가, 설날 휴가를 잊고 매일 20시간 이상 일을 하였다.

설날 휴가 동안에는 음식점과 상점이 모두 문을 닫아서 이틀을 굶은 경우도 있었다. 결국, 1990년 1월 30일에 시제품 개발에 성공하였고, 이 소식을 들은 함교수는 미국에서 급히 날아왔다.

2월 5일에는 약 한달 전의 호언장담이 농담이 아니었다는 것을 보이고자 당시 총리 · 교육부장관 · 과기처장

관과 서울대학교 총장을 초청하여 시제품 발표회를 열었다. 이 자리에서 총리 · 각료와 석학 총장은 진부한 속설을 되뇌었다. “역시 우리 민족은 우수하다.” 함교수가 가르쳐준 교훈은 “불가능해 보이더라도 자신있게 시도하라”이다.

하이터치 연구팀이 필자에게 가르쳐준 교훈은 “서로 허물없이 친해야 일이 잘된다”는 점이다. 이들과는 매우 친하게 지냈다. 제일 먼저 찾아와서 “이제부터 열심히 할테니 너무 걱정말라”고 말했던 김대리는 이제 신제품 개발을 지휘하는 중견과장이 되었다. 온 책상 가득히 메모를 붙여놓고 일정을 확인하던 오과장은 이제 중요한 개발기획을 주관하고 있다. 부인이 출산하는 날도 별 표정없이 철야작업을 하던 김과장은 이제는 야근할 일거리가 없어서 불평이다. 직설적인 표현으로 남자사원들을 궁지에 몰아넣곤 했던 미스 문은 이제 애기엄마가 되었고, 성격이 급해서 긴 회의를 싫어하던 남과장은 수출업무를 맡고 차분해졌다.

그간 ‘출옥과 수감’을 반복한 하이터치 죄수팀은 3기를 끝으로 1990년에 해체되었다. 이들은 이제 각 부처에서 열심히 일하고 있으며, 중요한 경조사가 있을 때마다 모여서 '교도소' 동창회를 열고 지낸다.

이들이 만나서 나누는 이야기를 옆에서 들을 때마다 하이터치 전략이 우리에게 올바른 길이라는 생각을 금할 수 없다. 이들이 자주 하는 이야기는 "남들이 하기 싫어해서 내가 하고 있다", "요즈음은 야근할 일이 없어서 섭섭하다", "안주하는 것 같아 불안하다" 등등이다.

이들과 같은 '죄수'가 전국에 산재해 있음을 상기하면, 우리 산업발전의 여지가 무궁무진함을 확신하게 된다. 다만 이제 필요한 것은 "한번 해보자"고 마음을 다지는 일뿐이다.

## 8. 신들린 작업자들

— 생산성향상 120%, 250% —

"왜들 이러느냐? 이제 우리 부서 통로에까지 제품이 쌓여 작업에 지장이 있으니 천천히 하라"고 호통을 쳤다.이때 80명이 일제히 일어나 함성을 질렀다. 이들은 관리자로부터 난생 처음으로 천천히 하라는 '강압적 지시'를 받았던 것이다.

구한말에 우리 강산을 찾아왔던 외국인 선교사가 전국을 돌며 찍었던 사진 가운데 날이 시퍼런 작두 위에서 맨발로 춤을 추는 여자 모습이 있었다. 그 사진 밑에 적힌 설명을 보면 '신들린 무녀'라고 씌어 있다. 요즈음에도 우리는 주위에서 "신들린 사람 같다"는 표현을 가끔 듣는다. 보통 상식으로는 이해하기 힘든 무아경지의 열중한 모습을 보이거나, 상상 이상의 기량을 나타내 보일 때 이런 표현을 쓰는 듯하다.

생산성향상운동에 비판적이고 부정적이었던 작업자들이, 어떤 계기를 통하여 이를 받아들이고 적극적으로 나서서 신들린 사람처럼 일하는 과정을 지켜본 경험이 있어 이들의 이야기를 소개하고자 한다.

1970년대에 한 중소기업에 체류하면서 생산성 향상 연구를 추진한 끝에 생산량이 250퍼센트나 증가한 경우가 있었고, 1985년에 시행된 연구에서는 새로운 관리기법을 적용한 지 하루 만에 생산량이 120퍼센트 늘어난 경우도 있었다. 이 두 경험담을 이야기해 보겠다.

필자는 기타(Guitar)를 제조 수출하는 공장의 생산성 향상 연구를 위하여 부평공단에 있는 한 공장에서 작업자들과 약 4개월간 같이 지낸 적이 있다.

처음 공장에서 일을 시작하였을 때, 이곳의 작업자들은 겉으로는 필자를 잘 대해 주는 것 같았으나, 실제로는 받아들이지 않고 경계하고 있었으며, 현장에서 곤혹스러운 경우를 당하는 일이 많았다.

예를 들어, 악기 몸체를 지지하는 각목을 둥그렇게 깎는 공정이 있었는데, 필자가 그 옆을 지나갈 때마다 큰 톱날에서 튀어나오는 나무조각이 묘하게도 꼭 필자 쪽으로만 날아와 몸에 맞는 경우가 많았다. 또한 이 공장에는 항상 목재 먼지가 자욱하였는데, 작업을 관찰하느라 서 있으면 이상하게도 필자가 있는 쪽으로만 먼지가 날아와 쌓이는 때도 있었다.

이즈음에 현장 작업자가 상(喪)을 당하여 문상을 갔었는데, 문상객이 너무 적어서 차마 나오지를 못하고 그 집에서 밤을 새우게 되었다.

이때 그 자리에 있던 낯익은 작업자가 다가오더니 미안한 표정으로 "나무조각을 자주 맞게 해서 미안하다"고 하였다. 알고 보니 목재에 전기톱날의 각도를 잘 맞추어 대면 목재 파편이 날아가는 방향을 조절할 수 있으므로 기계 옆을 지날 때 얼마든지 지나가는 사람에게 파편이 튀게 할 수 있었던 것이다. 먼지를 뒤집어쓴 이유도 알게 되었다. 압축공기 통풍구의 방향을 조절하는 데 따라 한 곳으로만 먼지가 쌓이게 할 수 있다고 하면서 다음부터는 공장에서 골탕을 먹이지 않겠다고 하였다.

야간작업이 끝나면 관리자·반장들과 어울려 부평 시내에 나가는 경우가 있었는데, 다방이나 술집에서 일하는 여자 종업원들이 이들에게 보통 손님과는 달리 공손히 대하는 것을 자주 보았다. 그 이유를 알아보니 유흥업소에 있는 이들 종업원 가운데 상당수가 전에 공장에서 작업자로 일했던 여자들인데, 일이 잘못되어 이곳으로 오게 되었다고 하였다.

그 사유를 물었더니 공장 근처에 백마장이라는 곳이 있는데, 이곳에 사는 불량배들이 공단에서 일하는 여자 작업자들을 못살게 굴고, 월급날에는 회사 앞에 대기하고 있다가 월급의 일부를 고정적으로 뺏어가곤 한다고 하였다.

이 과정에서 자칫 잘못 되면 나이 어린 작업자들이 임신을 하는 경우도 있고, 어물어물하다가 신세를 망치고 회사를 그만두게 되며, 결국에는 유흥업소에서 일을 하게 된다고 하였다.

당시의 공장장은 김상철이란 분으로 서울대 법대를 졸업한 후 남들이 가기를 주저하는 해병대 장교를 자원 입대한 강직한 분이었다.

여자 작업자들에게 행패를 부리고 월급을 거둬가는 불량배들을 계도할 것을 이분에게 건의하였다. 이에 따라 성격이 호탕한 회사의 운전기사와 경력이 화려한(?) 몇몇 작업자들을 모아 월급날 회사 근처를 배회하는 불량배들을 찾아다니며 여자 작업자들을 귀찮게 하지 말 것을 집요하게 설득하였다. 필요한 경우에는 불량배가 살고 있는 집을 찾아가서 설득을 반복하였다.

얼마 지나자 이 회사 작업자들을 건드리면 재수가 없다는 소문이 불량배들 사이에 나돌았고, 이 회사 여자 작업자들은 한결 지내기가 수월해졌다고 좋아하였다.

이런 일들을 거치면서 현장에서는 나무토막도 날아오지 않게 되었고, 작업자들과 격의 없는 농담도 주고받게 되었다.

하루는 반장들이 일과 후에 회식이 있다고 해서 따라나갔는데, 옆자리에 있던 반장이 필자에게 매우 딱하다는 듯이 충고를 하였다. 즉, 비록 인간적으로는 서로 친하게 지내고 있으나, 이번 생산성향상운동은 성과가 없을 것이니 적당한 선에서 마무리 짓고 철수하라는 것이었다.

이유인즉, 생산성이 향상되면 이곳 작업자들이 크게 기대를 걸고 있는 시간외 근무가 줄어들 것이고, 따라서 수입이 지금보다 낮아질 것이므로, 생산성 향상이 좋은 이야기긴 하나 자신들의 생계를 위협받으면서까지 추진할 수는 없다고 하였다.

그 이튿날 공장장과 만나 생산성이 높아져서 생기는

이익의 한 부분은 작업자들에게 환원할 것을 건의하였다. 또한 작업자들의 생계와 관련된 문제이니 생산성 향상에 따른 임금인상폭이 시간외 근무수당으로 받는 금액보다는 한푼이라도 높아야 생산성 향상의 의의가 클 것이라고 하였다.

며칠 후 공장장의 주재 아래 회사간부와 반장들의 연석회의가 열렸고, 생산성 향상에 따른 임금인상 내용이 합의되었으며, 인상수준을 계산하는 합리적인 원칙도 이 자리에서 합의하였다.

합의가 이루어지자 반장들은 공정·설비·작업방법에서부터 환기장치에 이르기까지 즉시 개선되어야 할 사항을 다투어 제안하였고, 개선경비를 줄이기 위하여 회사는 자재만을 지원하고 작업자들이 공사를 담당하는 내부수리가 이루어졌다.

모든 준비작업이 끝나고 생산성 향상을 평가하기로 하였다. 평가기준으로는 흔히 좋은 말로 대변되는 '기대효과'나 '파급효과'를 따지지 말고, 가장 간단하고도 확실한 방법으로서 8시간 동안 생산한 '최종 완제품' 숫자만을 세어보기로 하였다.

8시간 작업 후에 완제품 수를 세어보니 평소 생산량보

다 250퍼센트가 더 늘어난 것으로 확인되었다.

이어서 반장들이 참여한 가운데 임금조정작업이 이루어졌는데, 반장들이 주체가 되어 결정한 임금인상률은 작업의 특성과 작업자의 기여도에 따라 최소 26퍼센트에서 49퍼센트에 이르렀다.

이러한 임금인상률은 당시로서는 파격적으로 높은 수치였으며, 더욱이 반장들이 고민하면서 결정하였기 때문에 현장의 작업자들도 이를 잘 수용하였으며, 인근 공장에서 큰 화제가 되었다.

두번째로 이야기하고자 하는 '신들린 작업자'들은 1985년에 수행한 산학협동 연구에서 같이 일하였던 80여 명의 여자 작업자들이다. 우리 연구팀은 애로공정의 생산성 향상을 의뢰받고 여름방학 동안 지방에 체류하면서 연구를 진행하였다.

이 공장은 해외에서 주문받은 요구사항에 맞춰 제품을 만들었는데, 해외 수입업자의 요구가 다양하여 제품의 기능과 형태가 자주 바뀌었다. 심할 경우에는 하루에 두세 번씩이나 공정에 흐르는 제품 종류를 바꿔야만 했다. 생산하는 제품이 바뀔 때마다 부품이 바뀌는 것만 해도 약 600여 종에 이르렀고, 공정의 치공구 교환이나 작업자의 담당작업 준비 등에 많은 시간이 소모되어 심할 경우에는 작업장을 바꾸다가 하루 해가 다 지난다고 푸념하기도 하였다.

이런 일이 반복되다 보니 관리자와 작업자들이 모두 탈진하게 되었고, 생산성 향상은 엄두도 내지 못하고 있었다. 특히, 조립공정의 특성은 각 작업자들에게 배정되는 작업할당량이 고르게 배정되어야 생산성이 오르는데, 작업전환이 자주 일어남에 따라 숙련작업자와 미숙련 견습작업자에게 '공평하게' 작업이 할당되어 전체 작업자의 기량에 비하여 생산성이 매우 낮은 것으로 파악되었다.

이 공정의 생산성을 향상시키려면 작업하는 제품 종류가 바뀔 때마다 숙련공의 작업기술을 최대한 활용하고 미숙련 작업자에게는 단순한 부품이나 쉬운 작업을 맡기는 작업배분이 신속히 이루어지는 것이 가장 중요하였다. 그러므로 작업배분은 컴퓨터에 의해 이루어지는 것이 바람직하였고, 특히 제품에 대한 지식이 풍부하고 작업자의 속성을 가장 잘 파악하고 있는 여자 반장들이 컴퓨터를 담당하여 직접 이용할 것이 요구되었다.

이에 따라, 여자 반장들이 직접 컴퓨터를 다루어야 하

므로 반장들의 컴퓨터교육이 가장 우선적으로 추진되어야 했다. 이리하여 20여 명의 여자 반장과 다섯 명의 노조간부, 관리자 대표로 총무부장이 참석하여 여자 반장들을 위한 컴퓨터 교육의 중요성을 알리고자 하였다.

큰 반대는 없을 것으로 생각하고 회의를 소집하였는데, 회의가 시작되자마자 평소에 퍽 얌전해 보이던 나이 어린 여자 반장이 손을 들어 의외의 강경한 어조로 말하기를, "현재 맡고 있는 업무만 해도 과중한데 우리한테 컴퓨터 작업까지 시키려 하는 것을 단호히 거부한다"고 하였다. 다른 반장들과 노조원들도 미리 의논이 되어 있었는지 일제히 이에 동조하였다.

컴퓨터 활용체제에 대한 타당성 검토도 하기 이전에 무조건 할 수 없다고 하므로, "반장들이 하기 싫다고 하니 차선의 다른 방법을 찾아보겠다"고 하고는, 즉시 일어서서 나가려는 반장들을 붙들고, "기왕 모였으니 준비한 음료나 마시고 기분 좋은 얘기로 회의를 끝내자"고 달랬다. 반장들도 자기들의 주장이 의외로 쉽게 받아들여지자 다소 어색해 하면서 음료수를 마시고 있었다. 우리는 "이렇게 반대할 줄 알았으면 음료수도 준비하지 말걸 공연히 경비만 축냈다"고 하면서, 가까운 데 앉아 있는 반장에게 "당신들에겐 참 좋은 기회였는데 안타깝다"고 했다. 이 이야기를 들은 다른 반장이 "컴퓨터작업을 거절하는데 우리가 손해 볼 것이 무엇이냐"고 다소 호기심 어린 표정으로 물었다.

필자는 정보혁명시대의 의미와 아쉬운 점을 자세히 설명하였다. 즉, "앞으로 6, 7년 후에는 여기 모인 반장들 가운데 상당수가 이미 결혼을 했을 것이고, 또한 첫아이가 유아원에 들어갈 나이가 될 것이오. 이때 쯤이면 컴퓨터 보급이 늘어나서 거의 대부분의 유아원마다 학부모와 유아들이 컴퓨터를 가지고 놀이를 할 것입니다. 그러나 여러분들은 컴퓨터를 배우지 못했으니 다른 학부모와는 달리 한쪽 구석에서 여러분들의 아이로부터 핀잔을 받을 것입니다. '엄마는 왜 컴퓨터도 쓸 줄 몰라'라고. 이때 사랑하는 자식들에게 잘 설명해 주시오. '그때 이교수가 배우라고 할 때 단호히 거부해서 이렇게 되었다'라고. 이 일은 회사도 위한 것이지만, 여러분들이 시집간 후에 좋은 엄마, 좋은 며느리로 존경받을 수 있는 일이기도 합니다"라고 하였다.

한동안 분위기가 조용해지더니 20대 중반의 반장이 일어나서, "희망자에 한해 배워보면 어떻겠느냐"고 했고,

이읏고 다섯 명이 일과 후에 배우겠다고 자원하였다. 이들은 컴퓨터 교재 가격의 50퍼센트를 자발적으로 부담하였고, 초과 근무수당 없이 회사에 남아 교육을 받기 시작하였다.

우리 연구진은 이들에게 정성스레 컴퓨터를 가르쳤는데, 어려운 명령어는 유행가 가사와 비슷하게 만들어 암기시키기도 했고, 교육 내용을 어려워할 때마다 대학생·관리자들보다 앞서서 배워야 한다고 격려도 하였다.

한달 쯤 지난 후에는 다섯 명의 반장들이 현장에서 쓸 작업전환에 필요한 프로그램을 거의 무의식적으로 사용할 정도로 숙달되었다.

곧 이어, 컴퓨터를 이용한 작업체제의 효과를 정식으로 평가하게 되었다. 교육을 받은 반장 대표가 컴퓨터 사용을 직접 맡아서 하였고, 80명 작업자의 작업할당과 담당부품이 컴퓨터에 의해 계산되었다. 이 프로그램은 부품을 조립하는 순서까지도 지정하여 작업효율의 향상은 물론이거니와 불량률도 대폭 감소시켰다. 컴퓨터 응용효과를 측정하고자 실제작업을 진행하는데 작업 개시 2시간 만에 생산성이 60퍼센트나 향상되었다. 기분이 좋아진 여자 작업자들과 반장들이 필자에게 회식을 베풀어줄

인간공학적인 작업대·부품함·조명·개인사물함을 설치하여 작업자들의 잠재욕구를 만족시킴으로써 작업개시 2시간 만에 60%의 생산성이 향상되었다.

것을 요청하였다.

이날 저녁 여자 85명과 남자 8명으로 구성된 대부대의 기묘한 회식이 인근 관광지의 닭도리탕 집에서 마련되었다. 작업자들과 연구팀은 하나가 되어 뿌듯한 성취감을 느끼게 되었다. 회식이 끝날 때 쯤, 낮에 작업을 지휘하였던 여자 반장이 다가오더니 "이제는 만족하십니까" 하고 필자에게 물었다. 필자는 "60퍼센트 생산성 향상은 예상보다 낮은 것이오. 최소한도 120퍼센트는 더 오를 수 있었소"라고 했더니, 다른 작업자들이 이구동성으로 항의하기를 "오늘 120퍼센트를 내었더라면 관리자들이 이 수치를 표준작업량으로 정해 버리기 때문에 우리만 고생합니다"라고 하며, "더 이상 올리면 곤란합니다"라고 하였다. 필자는 꼭 그렇게 할 필요는 없다고 안심시키며, 가령 120퍼센트가 올라도 표준으로 정해질 가능성이 없는 이유를 설명하였다.

즉, 이 공정에서 쓸 부품을 만드는 앞의 공정은 생산성이 전혀 오르지 않았으니 이 부서에서 쓸 부품을 제때에 공급할 수 없을 것이고, 이 다음 공정의 생산성을 보더라도 우리의 작업량을 도저히 소화할 수 없으니, 우리 팀은 120퍼센트를 올리고 표준으로 정하자고 주장하면 주위로부터 존경만 받게 될 뿐이라고 하였다.

이어서 "작업자 생활을 하면서 단 한번만이라도 관리자로부터 '제발 좀 천천히 하라'는 부탁을 받아보는 것이 어떻겠느냐"고 하였다. 이날 회식은 별 다른 진전 없이 끝났다.

다음날 이른 아침, 회식자리에 동석하였던 관리자가 숙소로 전화를 하고는 120퍼센트 향상되는 것을 보고 싶으면 빨리 공장으로 나오라고 하였다.

과연 작업자들과 반장이 상기된 얼굴로 단거리 경주의 기록경쟁이라도 하듯 작업을 하고 있었고, 평소 같으면 작업이 끝난 후에 보고하던 공정의 문제점도 수신호와 암호를 써서 그 자리에서 즉시 해결하면서 신들린 듯 일을 하고 있었다.

작업이 시작된 지 3시간 쯤 지나자 후속 조립공정의 부서장이 이 공정에 찾아와서는, "왜들 이러느냐? 이제 우리 부서 통로에까지 제품이 쌓여 우리 작업에 지장이 있으니 천천히 하라"고 호통을 쳤다. 이때 80명이 일제히 일어나 함성을 질렀다. 이들은 관리자로부터 난생 처음으로 천천히 하라는 '강압적 지시'를 받았던 것이다.

## 9. 중소기업 연구개발 콘소시움
### — Q. D. N. D. —

중소기업인들에게 가장 무서운 적은 그들 자신의 자조적(自嘲的)인 태도와 무기력한 좌절감임을 명심하여야 한다. 기술개발의 중요성을 공감하다가도 결론 부분에 가서는 "우리는 중소기업이라서 잘 안될 것"이라고 한다.

서울대학교 공학연구소는 1990년부터 중소기업의 기술개발을 지원하는 협력조직인 콘소시움(Seoul National University Technology Research & Application Consortium)을 운영하고 있으며, 이 콘소시움의 이름은 영어의 머리글자를 모아서 '스트랙'(STRAC)이라고 부른다.

중소기업의 연구개발을 지원하기 위해 만든 이 협력 콘소시움의 운영원칙은 Q.D.N.D.라고 한다. 이 약어는

'중소기업을 지원하면서 불필요한 연구절차를 모두 생략하고 가장 빠른 시간 안에 지도하여야 하며'(Quick & Dirty), '기술개발에 소요되는 경비는 가능한 한 소액이어야 한다'(Nickel & Dime)는 뜻을 나타내고 있다.

공학연구소는 1963년에 설립되었으며 공과대학과 산업체들의 공동협력 연구를 지원하는 연구소이다. 필자는 1990년 3월부터 공학연구소의 업무를 맡았는데, 연구소 근무의 발령장을 받는 자리에서 조완규(趙完圭) 당시 총장의 주문사항은 "공학연구소에 인력과 예산지원을 할 수는 없으나 무슨 수를 써서라도 연구소 업무를 활성화하라"는 것이었다.

연구소의 발전방안을 수립하는 일이 급했으나 우선 연구소의 과거의 연구실적과 업무현황을 파악하고자 하였다. 연구소 업무전산화 작업에 착수함과 동시에 공학연구소가 수행한 약 1,400여 건의 산학협동 연구의 특성을 분석하였다.

산업계로부터 지원받은 연구비의 분포를 분석해 보니, 총 연구비의 80퍼센트 이상이 몇 안되는 대기업과 협력한 연구과제이었고, 중소기업과 협력한 연구는 매우 드물었음이 드러났다.

이 분석결과를 놓고 두 가지 대안이 떠올랐다. 첫번째 대안은, 대부분의 연구비를 대기업으로부터 지원받고 있으니 대기업과의 산학협동 연구를 더욱 강화하여야겠다는 것이었고, 다른 대안은 중소기업과의 협력연구가 부진하니 이 부분을 육성하여야겠다는 점이었다. 두말 할 것도 없이 대기업과의 연구가 훨씬 타당성이 높은 대안이었다. 왜냐하면 대기업은 연구개발에 대한 인식이 중소기업보다 좋으며, 연구비 지원도 쉽기 때문이다.

그러나 인식이 좋고 연구비 지원이 수월하다고 해서 산학협동 연구를 대기업 중심으로 추진하는 것은 곤란하지 않는가 하는 회의가 들었다. 산업계에서 중소기업이 차지하는 비중을 보거나, 중소기업의 시급한 기술개발 필요성으로 보아, 당장은 여건이 불리하더라도 대학이 중소기업을 위한 산학협동을 외면하여서는 안될 것이라는 생각이 들었다.

공과대학은 기술경영과 첨단기술의 발전추세를 산업계의 최고경영자, 정부의 고위관리, 전문직 인사들에게 교육하는 '최고산업전략과정'을 운영하고 있다.

1990년 5월 초에 최고산업전략과정의 주임교수로부터

전화를 받았는데, 강의를 담당할 교수가 학생데모로 인하여 교문을 통과할 수 없으니 급히 대리강의를 맡아달라고 하였다.

이 시간에 중소기업의 기술개발을 지원하기 위한 콘소시움 운영방안을 소개하였는데, 중소기업 사장들이 예상외로 큰 관심을 보였고, 곽영구 사장 등 3, 4명은 즉시 추진위원회를 만들자고 적극적인 반응을 보였다. 곧 3명의 사장들과 함께 2개월간 설립운영 방안을 작성하였고, 이기준 공대 학장의 적극적 성원과 과감한 결단으로 1억 원의 출연금이 공과대학에서 지원되었다. 이리하여 8월 말에 14개의 중소기업 회원사로 구성된 스트랙 창립총회가 열렸다.

소장, 조교수 10명, 박사 후 과정(Post-Doc.) 연구원 3명, 대학원생 15명, 사무직 1명 등, 스트랙에 가입한 14개 회원사를 전담하여 지원할 연구팀 30명을 결성하였다.

특히, 소장과 조교수 10명은 중소기업 기술발전을 위하여 무보수 연구지원을 하기로 합의하였고, 대학원생에게는 등록금 50퍼센트 지원과 월 15만 원에서 20만 원의 보조 연구원 수당을 지급하기로 하였다.

연구결과 보고는 보고서 대신 개발제품으로 제출하고 그 결과에 대한 전시회를 개최하기로 하였다. 연구결과에 대한 변명의 여지를 없애기 위하여 "만일 연구결과가 신통한 것이 없으면 빈 전시장이라도 보여주겠다"고 약속하였다. 이 약속을 지키기 위하여 젊은 교수, 박사들과 대학원생들은 매우 바쁜 생활을 시작하였다.

제일 먼저 착수한 것이 회원사를 방문하여 경영진단을 하고 기술개발 대상을 발굴하는 일이었다.

회사방문은 전공분야가 다른 최소 5명의 조교수, 3명의 박사연구원, 5명 이상의 대학원생이 팀을 이루어 동시에 방문하여 학제적(學際的)이고도 종합적인 진단과 연구과제 선정이 이루어지도록 하였다.

또한 현장 방문 후 1주일 이내에 진단보고서가 회원사에 전달되도록 하였다. 즉, 이와 같은 진행방식을 우리 팀은 '가장 빠른 시간 안에, 중소기업에게 가장 적합한 지도방안'(Q.D.N.D.)이라고 불렀다.

진단보고서는 주요한 내용만을 알기 쉽게 간추린 것으로 10에서 15매를 넘지 않도록 하였고, 가장 시급하고 최소액의 경비가 들면서 효과가 클 것으로 예상되는 기술개발 대상을 세 개에서 다섯 개 가량 제시하였고, 이 가운데서 한 개를 연구과제로 선정하였다.

선정된 과제를 전담할 조교수·박사연구원·대학원생들로 구성된 연구팀이 결성되고, 즉시 연구가 착수되었다. 이와 같은 방식으로 진행된 연구는 방과 후인 5시부터 시작하여 새벽 2시까지 거의 매일 계속되었다.

또한 매주의 연구결과는 토요일 오후 2시부터 시작하여 약 6시간 동안 토의되었다. 처음에는 준비 과정이 힘들고 장시간의 토론 과정에 반발심을 갖던 대학원생들이, 시간이 지나면서 점차 연구진행 과정을 토의하는 세미나의 중요성과 사명감을 느끼기 시작하더니, 마침내 힘을 합하여 연구에 몰두하였다. 그렇게 되자 자기 전공이 아닌 분야에 대해서도 열띤 토론을 벌일 수 있을 만큼 모든 분야에 대한 지식을 습득하게 되었다.

연구가 하나씩 매듭지어짐에 따라 연구원들은 전에 느끼지 못했던 성취감을 맛보게 되었고, 어떠한 과제가 주어져도 할 수 있을 것 같다는 자신감에 넘치게 되었다.

창립 총회에서 공언한 지 1년 후인 1991년 9월 17일, 서울대학교에서 스트랙 전시회가 열렸다. 전시내용은 신제품 8개, 경영전략개발 3건, 특허등록 18건이었으며, 약속대로 연구보고서 아닌 실물전시가 이루어진 것이다.

전시된 내용 가운데 일부를 자세히 설명해 보겠다.

회원사 가운데 환경정화 설비를 제작하는 회사가 있었다. 제작공정을 파악하여 보니 매우 원시적인 방법으로 진행되고 있었다. 즉, 주문을 받을 때마다 일일이 손으로 설계도면을 작성하고, 현장에서 도면에 표시된 내용을 토대로 표준화되지 못한 치공구를 사용하여 철판을 절단하고 구부리고 조립하는 작업으로 진행되었다.

따라서 작업의 정확도가 매우 낮았으며, 약 3, 4회의 재조립 과정을 거쳐야 한 개의 제품이 완성되었다. 재조립 과정이 반복됨에 따라 작업생산성의 저하, 제조경비의 상승은 물론이거니와 제품의 품질과 외관도 문제점이 많았다.

진단 결과, 이 회사의 가장 시급한 과제는 정밀도의 향상을 위한 자동화 설비의 도입이었다. 그러나 자동화 장비는 상당히 고가이며 전문 운영인력을 요구하므로 중소기업 실정에는 적합하지 않음을 알았다.

따라서 스트랙에서는 설계도를 직접 철판에 부착하여 작업할 것을 건의하였다. 이를 위하여는 컴퓨터를 이용한 도면설계 시스템(CAD)의 도입이 필수적이었으나, 이 대안에 대한 회사의 반응은 매우 냉소적이었다. 과거에 설계용 컴퓨터 구입을 검토한 바 있었으나, 가격이 약 1억 원 가량이나 소요되어 경제적으로 부담스러웠거니와, 더욱이 이 컴퓨터를 설치한다 하더라도 이를 사용할 고급인력이 없어 구입을 포기하였다고 한다.

우리는 기계공학과의 이우일 교수, 대학원생 2명으로 구성된 담당연구팀을 만들고, 세운상가에서 전자부품을 뒤지고, 기존 컴퓨터를 분해하고 재조립하여 약 570만원으로 설계 전용 컴퓨터(CAD)를 만들었다.

컴퓨터가 제작된 후 대학원생 1명이 겨울방학에 그 공장에서 살면서 공고를 졸업한 설계기사에게 컴퓨터 사용법을 가르쳤다. 이 설계기사는 모든 명령어를 외어버렸고 드디어 컴퓨터 설계에 익숙하게 되었다.

설계도면이 현장 작업에 응용되는 것을 교육하기 위하여 대학원생은 현장에서 약 2개월을 상주하였는데, 그 결과 컴퓨터를 이용한 설계와 제작이 본 궤도에 오르게 되었다.

컴퓨터 응용효과를 보면, 설계정밀도는 5배로 향상되었고, 3, 4회 반복되던 재조립과정이 없어졌으며 생산성이 350퍼센트 향상되었다. 이러한 성과에 만족한 이 회사 사장은 우리가 만든 값싼 프린터를 떼어내고 고급 프린터를 부착하여 기술개발 의욕을 과시하였다.

파이프를 매설하고 오랜 시간이 지나면 부식현상이 일어난다. 파이프 속에 함유된 아연이 유리되어 빠져나오면서 미세한 구멍이 생기기 때문이다. 전문용어로는 '탈아연 부식'이라고 부른다. 부식이 일어나면 수도 파이프의 경우에는 누수현상이 일어나고, 수압이 낮은 경우에는 파이프 외부로부터 오물이 스며들게 된다. 가스를 배급하는 경우나 화학물질을 다루는 경우에는 더욱 심각한 문제가 발생한다.

회원사 가운데 금속 파이프를 만드는 회사가 있었다. 고부가 상품을 만들자면 아연이 빠져나오지 않는 금속재료를 개발하여야 한다. 선진국에서는 부식되지 않는 금속소재를 개발했는데, 이 기술을 도입하고자 하여도 이전을 거부하고 있었다.

이 문제를 대학원생에게 맡겼다. 금속재료의 제조비법(Know-how)을 연구하는 내용이었다.

먼저 탈아연 부식과 관련된 해외특허 내용을 조사하였다. 특허 내용을 분석하였더니 금속소재의 특성이 파악되었으며 제조방법의 윤곽이 압축되었다.

이와 함께 1960년 이후의 관련 학술논문집을 조사하여 내용이 유사한 논문을 읽고 종합적으로 정리하였다. 학술잡지에서 읽은 내용을 매주 토요일 정규 세미나에서 자세히 발표하게 하였다. 발표를 듣는 사람들은 이 분야의 전문가가 아닌 전자·기계·화학·산업공학 분야 등의 젊은 교수들과 대학원생들이었다. 전문이론은 몰랐으나 듣고 배우면서 금속소재의 배합비율과 용해온도에 비밀이 있음을 파악하였다.

담당 대학원생의 '자신없는' 발표와 문외한들의 '상식적인 토의'가 반복되며 연구가 진행되었다. 이러한 과정에서 이 연구를 담당했던 김군은 "잘 안될 것 같다"는 걱정을 자주 하였다. 모두 같이 걱정하면서 격려를 계속하였다. 내용을 모르니 도울 수도 없고, 결국 격려밖에 할 것이 없었다.

예를 들면, "물리·화학 분야의 노벨상 수상자 가운데서 40퍼센트는 그들이 20대에 시작한 연구결과를 뒤늦게 인정받아 수상한 것이다", "어쩌면 이 연구를 하는 과정에서 새로운 제조공법이 나올 수도 있는지 모른다", "쉽게 풀 수 있는 문제라면 왜 기업에서 아직까지 하지 않았겠느냐? 대학에서 풀어주어야 한다" 등이었다. 그래도 걱정하면 "못 풀어도 좋다. 미리 포기하지만 말자"고 하였다. 교수와 대학원생들이 운동경기를 응원하듯이 이 젊은 공학도를 성원하였다.

실험용 용광로에서 배합을 반복한 지 2개월 만에 김군의 얼굴에 생기가 돌기 시작하였다. "될 것 같습니다"고 하더니, 얼마 지나지 않아 성공하였다면서 세미나에서 결과를 발표하겠다고 하였다.

선진국에서 만든 금속의 시편(試片)과 우리가 만든 소재의 시편을 비교한 현미경 사진을 첨부하고, 독성이 강한 화학물질에 넣어 부식실험도 하였다. 일정한 실험조건에서 부식시켜 보니 단위시간이 지난 후의 국내 제품의 부식된 깊이는 1.2밀리미터, 선진국 소재의 경우 0.21밀리미터, 우리 대학원생이 만든 소재는 0.22밀리미터이었다. 모두들 좋아하며 축하한다고 하였으나 정작 김군은 별 감흥이 없는 듯하였다. 며칠밤을 내리 못 잤기 때문이다.

선진국이 그토록 이전을 거부하던 금속물질 제조비법이 한 대학원생의 노력으로, 2개월 만에 해결된 것이다. 이 과정에서 소요된 연구비는 약 400만 원에 지나지 않

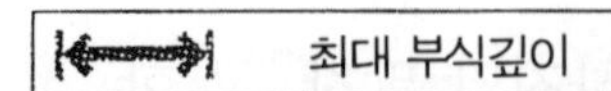


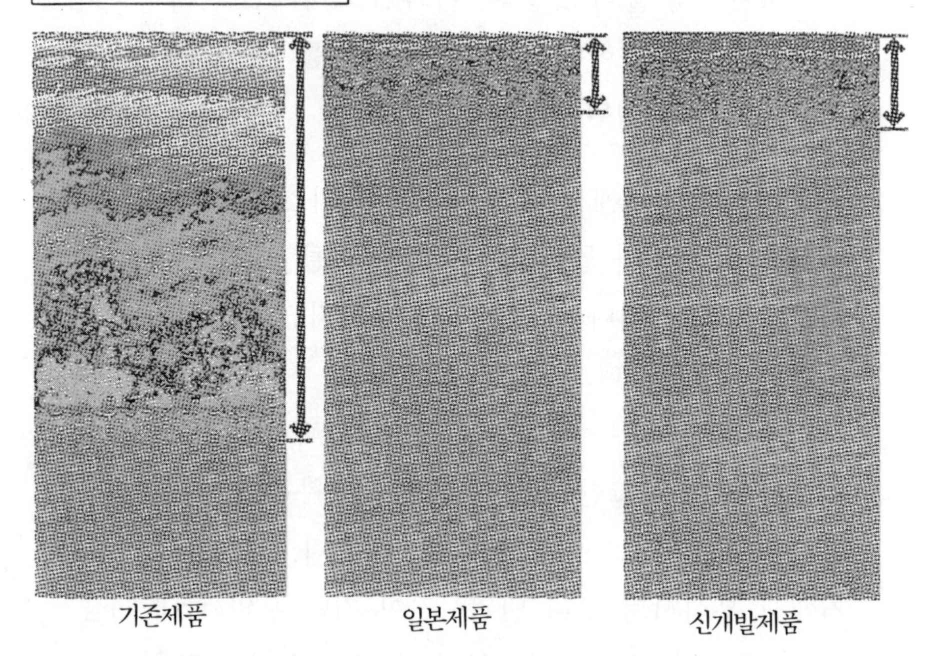


탈아연부식장치 황동소재의 개발

기계부품·전기제품·건축자재 등에 널리 쓰이고 있는 황동의 탈아연부식 방지를 위한 신소재가 개발되었다. 현재 생산중인 황동은 사용기간이 경과함에 따라 부식이 일어나 강도가 약해지고 공해요인이 내재되어 있어 신소재 개발이 요구되는 제품이다. 이에 따라 부식을 방지하는 새로운 제조방법이 실험실에서 개발되어 내부식성이 3배 이상 향상되었다. 이 연구는 PILOT PLANT 운영을 거쳐 양산설비 설계와 공정기술연구로 연결될 것이다.

았다.

스트랙이 개발한 신제품 가운데는 외국의 신제품을 능가하는 조리용 주방전자제품의 하이터치 제품이 있다. 이 조리기는 컴퓨터가 내장되어 있어서, 조리온도·시간·상태에 따른 온도 자동조절 기능과 사전예약 기능 등이 가능하다. 또한 리모콘으로도 작동되며, 리모콘에 부착된 감지장치를 이용하면 고혈압과 당뇨병 환자의 식이요법을 위한 염도·당도 측정도 가능하다. 연구 결과 전시회에 왔던 방문객의 발길이 제일 오래 머물던 제품이다.

이밖에도 한·소 기술협력에 의한 정밀정수기의 시제품 제작, 인쇄잉크 농도 자동조절장치, 유통업체의 물류관리, 매장관리 판매전략, 생산성 향상에 따른 영업정책 수정·보완 등 경영전략의 개발에서도 성공적이었다.

스트랙 전시회에는 김종운 서울대 총장, 김용준 대법관, 정부관리, 기업인 등이 다수 참관하였다. 이분들은 모두 "이렇게 하면 되는구나", "우리도 희망이 있다"며 좋아하였다. 연구에 참여한 대학원 학생이 자랑스럽게 초대한 후배들과 여대생들도 많았다. 전시장에 나가보면 관람하고 있는 여대생이 누구를 찾아왔는지 금방 알 수

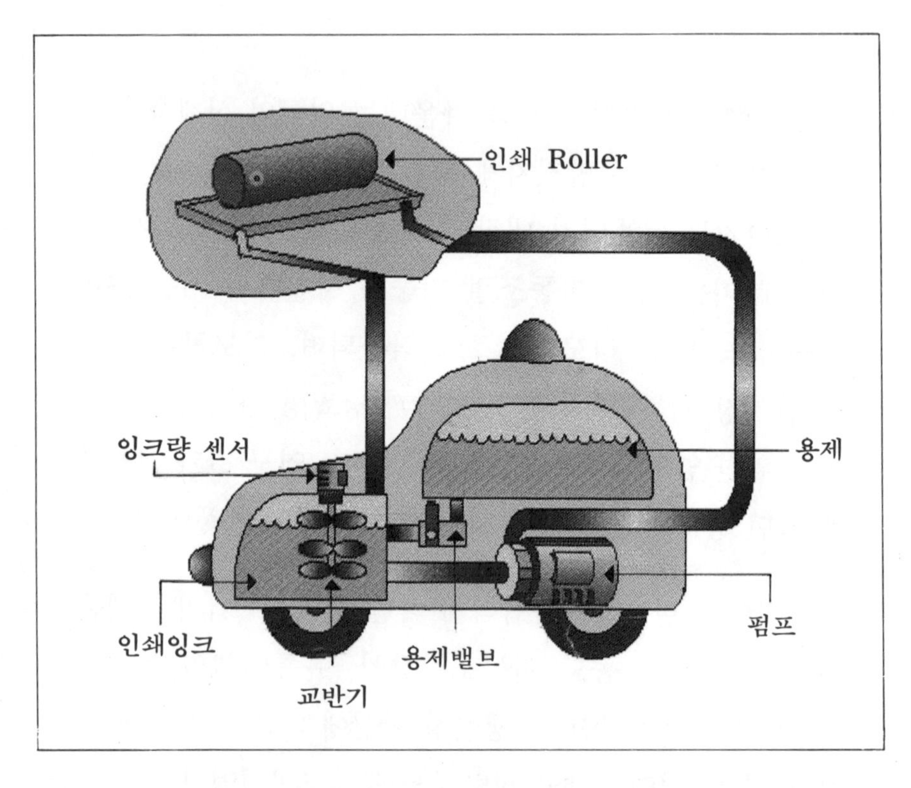


인쇄잉크농도 자동조절장치의 개발

각종 식품 포장지를 제작하는 공정의 주요 관리대상은 용제사용으로 인한 인쇄공정의 환경공해 예방과 인쇄 품질의 유지에 있다. 새로 개발된 잉크농도 자동조절장치는 인쇄공정의 작업생력화(7명→2명)는 물론, 작업장 환경공해제거, 인쇄 품질의 향상 등의 효과를 입증했다. 이 자동장치는 현재 시험가동을 끝내고 전 공정에 투입하기 위해 양산 제작이 진행되고 있다.

있었다. 남자친구가 만든 전시물 옆에만 서 있으면서 자랑스러운 표정을 짓기 때문이다.

우리는 스트랙을 운영하면서 여러 가지를 배울 수 있었다.

우리 중소기업인들은 많은 걱정에 싸여 있다. 그들은 정부로부터 적절한 지원을 받지 못하고 있다고 생각한다. 대기업은 항상 그들의 경계의 대상이다. 자기들의 회사가 잘 되면 대기업에게 그 분야를 빼앗길 것이라고 생각한다. 대학도 중소기업인에게 친절한 곳은 아니라고 생각한다. 고급인력을 모두 대기업으로만 보내기 때문이다. 그들의 주장 가운데 상당 부분은 동정이 가는 내용이다. 그러나 중소기업의 발전을 저해하는 가장 중요한 원인은 다른 데 있다.

중소기업인들에게 가장 무서운 적은 그들 자신의 자조적(自嘲的)인 태도와 무기력한 좌절감임을 명심하여야 한다.

기술개발의 중요성을 공감하다가도 결론 부분에 가서는 "우리는 중소기업이라서 잘 안될 것"이라고 한다. 젊은 사원을 옆에 두고서 "우리 회사에는 쓸 만한 고급인력이 없다"고 자탄한다. 옆에서 듣고 있는 '쓸모없는' 젊은 사원은 무슨 생각을 할 것인가.

중소기업의 기술개발을 역설하던 한 기업인은 바람직한 해결방안을 묻자, 정부의 금융지원과 금리인하라고 결론지었다. 물론 이러한 지원이 여건 개선에 도움을 줄 것은 틀림없겠으나 근본적인 대책은 아닐 것이다.

스트랙 회원 가운데 어느 기업은 대기업과 협력에 한계가 있음을 경험하고는 유럽시장으로 진출하여 성공한 경우도 있다. 이제 국내 대기업에서도 이 회원사와 좋은 협력관계를 유지하고 있다고 한다. 실력이 있으면 당당하게 대접받게 되는 것이다.

중소기업에 고급인력이 부족한 것은 사실이다. 우리 대학생들이 대기업으로만 진출하는 것을 걱정스럽게 보는 교수들도 많다. 그러나 대학생들이 가장 꺼리는 중소기업의 문제점은 '희망이 없어 보인다'는 점이다.

중소기업의 희망은 무엇인가? 젊은 대학생들의 혈기를 자극할 만한 목표가 없는 중소기업은 아무래도 희망이 없다고 할 수밖에 없다.

중소기업인들만이 특별히 고급인력난을 겪는 것도 아니다. 대기업에서도 고급인력이 부족하다고 한다. 대기업에 근무하던 우리 졸업생들도 희망이 없어 보여서 뒤늦게 외국 유학을 결심하였다고 한다. 결심하지 못하고 망설이는 사람은 더 많을 것이다. 이들은 유학을 마치고 돌아와서 대학과 연구소에 취직하고자 할 것이다. 그러나 대학·연구소라고 특별한 희망이 보장되는 것은 아니지 않는가. 우리 모두가 현재의 위치에서 맡은 일을 잘 해내면서 희망을 만들어나가야 한다.

우리 정부·대학·대기업, 그리고 중소기업의 경우, 가장 중요한 발전방안은 어려운 현실여건만을 탓하지 말고 스스로 전망과 목표를 설정하는 데에서 실마리를 찾아야 한다.

스트랙 활동에 관심을 갖고 연구소를 찾았던 사람 가운데 미국 매사추세츠공과대학(MIT) 통신매체연구소 (Media Research Laboratory)의 네그로폰티(Negroponti) 소장도 있다. 그 연구소의 표어는 '연구실적을 보여줄 수 없으면 도태당하라'(Demo or Die)이다. 그 표어가 좋다고 했더니 스트랙은 어떤 구호를 갖고 있느냐고 물어왔다. '푼돈으로 재빨리 개발하라'(Q.D.N.D.)라고 했더니 무척 마음에 든다고 하면서, 자기네 표어와 맞바꾸자고 하였다.

스트랙은 적지 않은 사람들로부터 관심을 모으고 있다. 전시회에 오지 못했던 사람들은 자료를 보내줄 것을 부탁한다. 단기간 안에 개발한 신제품 개수와 특허등록 건수가 예상보다 많다고 의심스러운 표정으로 사실을 확인하려는 정부 관리도 있었다. 전시회를 참관하였던 기업인은 연구결과를 널리 보급할 것을 요청하고 있다.

다른 대학에서도 많은 관심을 보이고 있다. 울산대학

에서는 이미 '지역연구개발 공동센타'라는 콘소시움을 결성하여 12개 회원사와 연구를 시작하였고, 스트랙과 협력 관계를 맺고 있다. 창원대학은 창원공단의 관련 회사들과 산학협동 콘소시움을 기획하고 있으며, 부산대학도 이와 비슷한 협동조직을 구상하고 있다.

정부와 연구소에서는 '기술혁신지원센타'(TIC) 또는 '기술창업요람'(TI)을 준비하고 있다. 또한 관련 부처에서는 중소기업의 기술개발을 지원하기 위한 새로운 접근을 시도하고 있으며, 중소기업의 현황을 정확히 파악하기 위하여 스트랙과 세미나와 토의를 계속하고 있다.

많은 이들로부터 스트랙의 경험담과 운영방안에 관한 문의를 자주 받는다. 우리가 그들에게 권고하는 내용은 매우 상식적인 제안이다.

—중소기업일수록 '세계 제일'을 발전목표로 설정할 것
—여건이 나쁠수록 희생적 노력으로 이를 극복할 것
—현장에서 문제를 해결할 것
—연구보고서를 지양하고 제품제작, 특허등록, 전시회 위주로 연구결과를 발표할 것

—고급인력이 모자랄수록 미래 전망에 투철할 것

등이 우리의 권고 사항이다.

# 結

10. 교육의 혁신
11. 서울올림픽의 교훈
12. 우리 산업기술정책의 전개방향
13. 정보혁명시대의 유망사업
14. 지도자를 기다리며

## 10. 교육의 혁신

### — 녹화재방송과 실황중계 —

따지고 보면, 우리 국민의 높은 교육열은 무슨 수를 쓰더라도 대학 졸업장만은 받아야 한다는 '간판욕'에 불과한 측면도 있다. 이제 학부모들은 진정한 교육은 대학입학부터 새롭게 시작되어야 한다는 점을 인식하여야 할 것이다.

필자는 1991년 3월에 〈공학교육은 발전하고 있는가?〉라는 제목의 보고서를 발간하는 데 참여한 적이 있다. 이 책자는 세간에 〈공대백서〉로 알려졌으며, 비교적 형편이 좋은 학교로 알려져 있는 서울대 공대의 열악한 교육여건을 상세히 열거하였다. 이 책자는 대학교육이 심한 위기에 처해 있음을 보고하였으며, 이를 해결하기 위해서는 대학은 물론 정부·기업·국민의 반성과 노력이 필요하다는 점을 강조하였다.

이 백서의 내용은 사실근거와 통계자료가 명확한 사항만을 중심으로 구성되었다. 구체적인 통계자료가 없어 백서에는 미처 기술하지 못했으나, 대학교육에서 매우 중요한 사항이라고 그동안 느껴온 몇 가지 개인적 소견을 이 기회에 덧붙여보고자 한다.

백서에서 밝힌 바와 같은 대학교육의 위기를 현장에서 몸으로 부딪힌 교수들은 그동안 많은 갈등을 겪었다. 가장 큰 고민은 다음과 같은 것들이다.

외국의 한 대학이 최근에 발표한 장기발전계획을 보면 이 대학보다 약간 앞선 경쟁상대 대학과 대등한 경쟁을 벌이기 위해서 실험시설비, 컴퓨터망, 연구비 규모 등에서 최소 다섯 배 이상의 예산을 투입할 것을 강조하고 있다.

우리의 경우, 경직된 사고에 젖어 있는 학생들의 창의력을 훈련시키려면 선진국 명문대학의 수준을 훨씬 웃도는 예산이 필요하다. 왜냐하면 그들과는 달리 우리 대학은 교수인력의 확보가 동시에 병행되어야 하기 때문이다. 그러나 우리 대학은 이와 같은 예산을 투입할 능력도 없거니와, 가까운 시일 안에 대대적인 교수인력 확충을 기대할 수도 없다는 데 문제의 심각성이 있다.

그렇다면, '대학의 열악한 교육여건의 개선은 과연 언제나 이루어질 수 있을 것인가', '어느 때인가 개선이 이루어진다 해도 그때는 이미 대학과 사회가 회생불능의 퇴보단계에 접어든 시점은 아니겠는가?', 그러면 '사회의 선도적 기능을 자부하여 온 대학과 교수들은 이와 같이 사태가 악화되도록 왜 방관만 하여 왔는가?'

그동안 대학은 교수인력·실험장비·예산부족으로 국제경쟁력이 취약한 함량 미달의 졸업생을 배출하여 왔다. 이에 대하여 기업경영자들은 그들이 채용한 우리 졸업생들이 지도자로서의 기본자질이 결핍되어 있음을 지적하고 있으며, 또한 필자 자신도 사회에서 마주치는 우리 젊은이들이 전문인으로서의 패기와 집념이 결핍되어 있음을 느낀 적이 적지 않다.

이와 같은 원인의 근본을 추구하여 보니, 정부의 지원이나 대학과 교수들의 노력만으로는 해결이 불가능한, 구조적인 사회문제가 대학교육의 위기원인임을 어렴풋하게나마 파악하기 시작하였다.

먼저 대학에 들어오기 전에 우리 학생들이 거쳐온 교

육과정을 검토하여 보자. 우리 학생들은 국민학교에 입학하면서부터 고생이 시작되며, 이 고생은 대학입시를 '무사히' 치를 때까지 계속된다. 이 과정에서 우리 학생들은 주입식 교육과 암기식 학습에 젖어들면서, 원래 이들이 지녔던 창의적 사고능력은 체계적으로, 지속적으로, 철저히 파괴되는 과정을 거쳐왔음을 쉽게 발견할 수 있다.

대학입시 작전의 성공을 위하여 학부형, 고등학교 교사, 선배들은 이구동성으로 '분별력'이 좋아야 한다고 강조한다. 가령, 아무리 과학에 흥미있는 학생이라 하더라도 국어·수학·영어 등의 배점에 따라 학습시간을 전략적으로 배정해야만 한다. 즉, 재미있는 과목의 공부를 절제하고 배점이 많은 과목에 매달리는 것이 올바른 전략으로 강조된다. 사지선다(四肢選多)형 출제 전략도 그렇다. 처음 보는 문제가 나오면 '생각하지 말고' 뒤로 넘겨야 높은 점수를 받게 되고, 복잡한 문제의 해답은 가능성이 적은 몇 가지 후보답안을 미리 '제거'해 나가면서 확률적으로 높은 답안을 '선택'하여야 한다고 가르친다. 이러한 입시 위주 교육에 가장 잘 적응한 학생들에게만 명문대학 입학이 허용되는 것이 우리의 입시제도의 현실이다.

두말 할 나위없이, 대학교육에서 가장 중요한 목표는 창의적인 사고를 훈련하는 데 있다. 창의력을 훈련하는 전제조건은 모험정신이며, 모험은 실패를 두려워하지 않는 경우에만 시도될 수 있다.

그러나 우리 학생들이 입학 전에 연마해 온 내용은, 창의적 교육의 요체인 탐구정신보다는, 입시준비 과정에서 수없이 반복한 '요점정리', '정답작전', '문제의 함정 파악' 등으로 창의적 사고에 역행하는 훈련만을 받아온 것이다. 시험을 앞두고 '최종점검 일주일작전'과 '최고득점 마스타플랜' 등에서 강조되는 내용은 '실패하면 모든 것이 끝이며, 모험만은 절대로 하지 말라'는 점이다.

이런 과정에서 경직된 사고방식에 길들여진 학생들에게는 입학 성취감만이 앞서게 되고 정작 대학교육에서 필요한 창의적인 사고에 관한 가치관은 설 자리가 줄어들게 되는 것이다.

이들이 대학에 들어와서 받는 교육여건은 어떠한가? 입학 후 배우기 시작하는 교양과목은 고등학교에서 배운 내용과 비슷하며, 밤을 새우며 애써 작성한 숙제는 조교가 걷어간 후에 자세한 평가내용도 없이 학생들에게 되돌려진다. 실험실습장비는 잦은 고장으로 학생들의 접근이 금지되고 있다. 도서관에는 보고 싶어도 찾고 있는 책이 없으며, 컴퓨터센터에는 앉을 자리가 없고, 식당에서는 줄을 오래 서 있다가 보면 먹으려던 음식이 다 팔려버리고 만다. 이 과정에서 대학에 기대를 걸었던 학생들의 모든 희망은 환상이었음이 드러나며, 결국 신입생들은 약삭빠른 처신과 재빠른 행동요령의 터득에만 관심이 집중된다.

고등학교보다 대학이 훨씬 못한 점도 있다. 대학의 첫 인상은 외곽시설이 부족하여 강의가 끝나면 쫓기듯 강의실을 나와야 하는 곳이며, 대형강의실에 모인 그 많은 학생들의 출석은 일일이 확인될 리가 없으니 결석을 해도 교수가 눈치채지 못하기 십상이고, 한학기 동안 가르쳐 준 교수에게 인사를 하여도 그 교수는 학생이 누구인지도 알아보지 못하는 곳이 오늘날 한국의 대학이기도 하다.

이러한 교양과정을 거치며 입학 전에 품었던 대학에 대한 기대와 동경은 철저하게, 산산히 부서진다. 3학년부터 시작되는 전공과목의 각종 이론은 거의 대부분이 선진국에서 개발된 이론이고, 교과서 사진에 나온 최첨단

실험설비는 우리 대학에는 없는 장비인 것이다. 반복실험을 통해 배워야 할 측정기법·분석방법은 책에 나와 있는 도표와 공식으로 대신하고, 실험실에 설치된 장비는 '학생들이 만지면 고장이 나므로' 조작이 허용되지 않는다.

대학에서 배우는 교과과정은 우리 산업계의 현실과는 동떨어진 내용이며, 또한 가까운 장래에 우리 산업계에 적용될 가능성이 희박한 이론도 많다. 그러므로 대학이 교육하는 내용은 해외에서 이미 치러진 운동경기를 방송시간을 메우기 위하여 '녹화재방송' 해주는 텔레비전 프로그램과 같다고 아니할 수 없다.

우리 팀이 출전하지 않았으니 감동적인 장면이 있을 리 없고, 이미 경기의 결과가 알려졌으니 흥분할 이유도 없는 셈이다. 이러한 교육과정이 반복되다 보면 전공과목의 시험문제가 선·후배간에 전수되고, 예상문제와 모범답안이 복사되어, 창의력 개발을 위한 대학교육은 또 다른 형태의 암기교육으로 전락하는 것이다.

대학을 졸업한 학생들을 맞아들인 사회도 이들에게 창의력을 요구하는 풍토는 아니다. 기업은 기술개발을 소홀히 하고 선진국의 기술배급에만 의존하고 있으며, 젊은 사원들의 창의적인 제안은 당장의 업무효율성에 가려져 시도조차 허용되지 않는다. 오히려 업무규정과 위계질서에 따른 경직된 규범만이 강조되고 있는 것이다.

이러한 정체된 사회분위기 속에서, 모든 것을 희생하며 자녀의 대학입학에 온갖 희망을 걸어온 부모들은 "너만은 남보다 앞서야 한다"고 호소한다. 이에 따라 이기주의가 앞서게 되며, 창의적 노력보다는 실패를 기피하는 안주 분위기가 도처에 팽배하게 된다.

학생들 못지않게 교수들도 또한 좌절하고 있다. 학점취득이 수월한 과목만을 골라서 수강하려는 학생에게 바람직한 교과목을 추천하면, 여러 가지 이유를 들어 이를 회피하다가 결국에는 한 번만 '봐달라'고 부탁하기도 한다. 강의내용의 습득을 위해 과제물을 내어주면 다른 과목보다 부담이 많다고 불평한다. 시험을 자주 치르고 학점평가에 엄격한 교수는 강의개설을 위해 요구되는 최소수강신청인원에도 미달하여 그 사유서를 대학 당국에 제출하여야 하며, 대학은 강의 최소인원 규정을 들어 이 과목을 폐강하라고 권고한다. 방학이 가까워오면 학생들은 하숙비를 이유로 교수에게 조기종강을 간청한다.

출석을 등한히 하고 시험성적도 부실하여 학사경고를 받게 된 어느 학생이 있었다. 학부모가 찾아와서는 "제자의 앞길을 막는 스승이 어디 있느냐"고 항의하며 교수의 인격을 의심하였다. 그 학생은 학업에 소홀하였다고 자료를 보여주었더니 처음 듣는 소리라고 변명하였다.

논문작성이 부진하여 학위취득이 연기되었던 박사과정 학생의 부인은 울음 섞인 목소리로, "내 남편의 건강이 나빠지면 책임지겠느냐"고 추궁한다.

물론 이러한 학생들은 소수에 해당하지만 이와 같은 풍토에 동조하는 듯한 학생들이 점차 늘어가고 있고, 이를 지켜보는 동료교수들도 놀라지 않는다. 비슷한 경우를 당했기 때문이다.

교수들이 겪어온 갈등 내용을 요약하면 다음과 같다.

우리 교수들은 인력과 시설과 운영예산이 부족한 교육여건 아래서, 선진국 명문대학의 수준을 능가하는 창의적 사고능력을 훈련시킬 것을 오히려 요구받고 있다. 그러나 교육받아야 할 신입생들은 그간의 교육제도와 부모의 강요, 교사의 지도, 선배의 충고로 창의력이 철저히 제거되어 있는 것이다.

우리 교육제도의 혁신이 머지않은 장래에 이루어질 수

있는가? 대학교육에 대한 인식과 대학을 향한 정부와 사회의 지원이 가까운 장래에 개선되겠는가? 해외기술에만 의존해 온 우리 산업체들이 가까운 장래에 독자기술체제로 전환할 태세를 갖출 수 있겠는가?

이러한 생각을 반복하다 보니, '개발도상국의 대학은 선진국의 대학과는 달라야 한다'는 점이 문제해결의 시발점임을 깨달았다. 우리의 현실을 있는 그대로 보지 못한 채 이토록 오랫동안 방황과 좌절을 계속하여 왔던 이유는, 우리의 사고방식이 선진국의 관행에 젖어왔으며, 현실여건과는 유리된 이상적 기준만을 고집하여 왔고, 문제해결의 우선순위와 완급이 무시된 균형적 발전론에 안주하여 온 때문으로 풀이된다. 즉, 개발도상국의 대학은 사회인식과 지원 여건이 월등히 나은 선진국 대학의 발전과정을 먼발치에서 동경만 하는 한 실마리를 풀 수 없다는 결론이 더욱 명확하게 떠오르는 것이었다.

별다른 선택의 여지가 없는 현재의 위기상황에서 오늘의 대학은 우리의 현실적 제약을 인정하고, 다음의 몇 가지 전제조건을 받아들여야 한다.

우리는 상충하는 이해관계와 계층간 갈등으로 복잡하

게 얽힌 현 여건을 과감하게 벗어나서 새로운 시발점을 찾는 노력을 먼저 하여야 한다.

선진국을 지향한다면, 우리는 그들의 발자취를 뒤늦게 답습하는 것을 포기하고 새로운 지름길을 개척하려는 모험정신에 투철하여야 한다. 이러한 시도는 제일 먼저 대학교육에서부터 시작해야 한다.

선진국 대학의 실험설비와 연구여건에 비하여 열악한 우리 대학이 그 악조건을 극복할 수 있는 대안은 창의력의 개발을 통한 새로운 분야의 개척에 의존할 수밖에 없다.

그렇다면, 우리 대학생들은 어려서부터 창의적 사고에 익숙한 선진국 대학생들보다 몇 갑절 더 혹독한 창의력 훈련을 받아야 한다. 강도 높은 훈련을 위해 절대적으로 필요한 것이 교수인력 증강이다. 학생 특성 파악과 집중 훈련을 위해, 교수인력 증강만은 우선적으로 해결되어야 한다.

이러한 선행조건이 해결된 후에는 우리에게 새로운 지혜가 터득될 것이다. 즉, 선진국이 앞서 개발한 첨단기술과 이미 상당한 궤도에 오른 첨단산업은 우리가 추구하고자 하는 발전목표가 아니라는 점을 깨달아야 한다. 뒤늦은 출발과 부족한 재원으로 앞서 달리는 그들을 아무리 뒤쫓아보아도 선진국의 아류에만 머물고 말 것이기 때문이다.

오히려 현시점에서는 개념조차 존재하지 않는 새로운 대상을 남보다 먼저 찾아내고 이를 집중 육성하는 능력을 함양하는 것이 우리 대학의 가장 중요한 교육목표로 선정되어야 한다. 쉴 사이 없이 치달아 나가는 선진국의 첨단기술을 쫓아다니며 기죽지 말고, 첨단기술이 전개할 미래의 정보혁명사회를 예측함으로써 새로운 발전의 계기를 마련하여야 한다.

교육의 혁신으로 국가발전을 촉진하려는 대학의 노력이 성공하려면, 이를 지원하는 각계의 호응이 있어야 한다. 몇 가지 구체적 대안을 예시하여 보겠다.

교육의 응급조치는 대학에서부터 시작되어야 한다. 우선 대학에서는 우리 학생들의 창의력을 다시 부활시키는 일을 가장 시급히 착수하여야 한다.

대학의 신입생들은 그동안 억압된 생활에서 풀려나 대학생활을 통하여 새로운 보상을 받고자 하나, 오늘의 대학의 교육여건이 이를 만족시켜 주지 못하고 있다.

여건만이 나쁜 것이 아니다. 가장 자유스러워야 할 대학의 각종 활동이 사회로부터 경계의 대상이 되고, 마땅한 대안이 없는 상황에서 각종 파행적인 사상과 행동이 대학사회에 스며들고 있다. 발산하지 못하고 있는 젊음을 사물의 탐구에 도전하는 모험심과 노력 끝에 얻어지는 성취감 속에서 자연스럽게 발산할 수 있도록 하는 한마당을 마련해 주어야 한다.

이를 위하여 우리 학부모들의 인식도 전환되어야 한다. 따지고 보면, 우리 국민의 높은 교육열은 무슨 수를 쓰더라도 자녀들이 대학 졸업장만은 받아야 한다는 '간판욕'에 불과한 측면도 있다. 이제 학부모들은 진정한 교육은 대학입학부터 새롭게 시작되어야 한다는 점을 인식하여야 할 것이다.

예술가는 대학 내에서 학생들과 어울려 활동하는 기회를 자주 마련함으로써 대학문화 창달에 나서야 한다. 생산업체나 정부의 현장관리자와 작업자는 그들의 경험을 통하여 얻어진 지도자로서의 자질을 학생들에게 자세히 알려주어야 한다.

기업은 기업성장의 가장 중요한 요소인 고급인력의 양

성을 위하여 첨단설비 구입 못지않은 자금을 대학에 투자하여야 한다. 중소기업은 학생들의 실험 · 실습을 위하여 비록 낡은 기계라 할지라도 대학에 제공함으로써, 학생들로 하여금 마음대로 분해하고, 조작하고, 재조립할 기회를 제공하여야 한다. 이와 같은 과정에서 터득한 감각이 있어야 새로운 기계를 설계하는 상상력이 싹트고 가동될 수 있기 때문이다.

정부는 발전하고자 노력하는 대학을 우선적으로 지원함으로써, 경쟁과 평가에 따른 성취감이 대학발전을 더욱 가속시키는 생산적인 분위기를 조성하여야 한다.

이러한 분위기가 확립되어야 대학들은 선진국 첨단기술의 '녹화 재방송'을 하루빨리 탈피하고자 할 것이고, 교수들은 희생적 노력으로 우리 기술의 발전현황을 생생하게 '실황중계'하고자 할 것이다.

그러나 대학교육의 중요성만을 강조하며 다른 교육과정의 근본적 치유를 등한히 한다면, 우리 사회는 날이 갈수록 회복이 불가능한 중태에 도달할지도 모른다. 이와 같은 이유에서 가정·유치원·국민학교에서부터 시작하여 대학입시에 이르기까지 교육과정의 전반적 개혁도 병행하여야 한다.

우리 국민의 교육열은 세계적으로 높으나 그 열기 만큼 어머니의 품에서부터 창의력·지도력·희생정신의 교육을 시작해야 한다. 이와 함께 새로운 개념의 가정교육도 필요하다.

부모들은 집안의 물건을 만지고 고장을 내곤 하는 어린아이들을 꾸중하지 말고 오히려 격려하여야 한다. 잘 아는 길로만 다니라고 주의를 주어오던 어머니는 이제부터는 자녀와 같이 새로운 등·하교길을 찾아다니는 통학로 탐험의 동반자가 되어야 한다. 자전거를 사주며 넘어지지 않게 조심하라던 아버지는 앞으로는 국제싸이클대회를 설명하면서 선수의 꿈을 심어주고, 자전거를 배우는 과정에서 많이 넘어질수록 좋은 싸이클선수가 될 수 있다는 점을 강조하여야 한다.

이러한 노력이 실패를 두려워하지 않는 모험정신을 키워줄 것이며, 이를 통하여 궁극적으로는 대학의 창의력 교육도 가능하게 될 것이다.

유아기의 가정교육에서부터 교육이 올바른 방향으로 정립되어야 교육학자들은 그동안 망설여오던 혁신적 교육제도를 자신있게 제안할 것이고, 정책입안자들은 시행착오를 각오하면서 새로운 제도추진을 위한 용단을 내릴 것이며, 기업인들은 용기백배하여 선진국 기업과의 경쟁을 선언할 것이다.

그러나 이와 같은 전반적 교육의 혁신이 지금 당장 착수된다 하더라도 그 효과가 좋은 결실을 맺으려면 아무리 빨라도 10년 남짓 기다려야 할 것이다. 그러므로 대학교육의 혁신을 위한 응급조치의 절실한 필요성이 여기에 있다. 우선 대학교육 혁신을 위한 각계의 성원, 교수충원을 통한 창의력 훈련부터 기대되는 결실은 우리 대학생들이 갖게 될 벅찬 희망·포부와 신바람에서 찾아야 한다.

그러나 대학교육의 혁신이 진정으로 필요한 가장 근본적인 이유는 우리가 변화무쌍한 국제화시대의 극심한 경쟁에서 당장 살아남기 위함이라는 것은 새삼 말할 필요도 없다.

## 11. 서울올림픽의 교훈

— 19%, 30분 일 더하기 —

우리가 오늘날 추진하고 있는 과학기술 개발전략을 살펴보자. 마치 올림픽에서 미국의 육상, 동구권의 수영, 소련의 체조 등 스포츠 강대국의 전략종목만을 골라서 모두 메달을 따겠다는 허망한 전략에 비유될 수 있을 것이다.

필자는 88 서울올림픽을 미국 출장중에 중계방송으로 보았다. 텔레비전에 펼쳐지는 서울의 풍경은 출·퇴근길에 보던 한강변의 인상보다 훨씬 더 아름답게 보였고, 국립묘지 옆 강변에 심어 놓은 국화꽃이 화면 전체에 꽉 찬 것을 본 미국 시청자들은, 한강이 온통 꽃밭으로 뒤덮인 줄 알고 꽃밭의 길이가 얼마나 되느냐고 묻기도 하였다.

필자는 얼마 전에 열렸던 어느 세미나에서, 서울올림

픽과 우리의 현재 여건을 비교함으로써 우리가 서울올림픽으로부터 배워야 할 점이 많다는 것을 강조한 적이 있었다.

다음에 그 비교내용을 소개함으로써, 우리가 마음만 고쳐먹고 합심하여 노력하면 얼마든지 큰 발전을 기약할 수 있음을 증명해 보이고자 한다.

서울올림픽의 성공요인은 편의상 정책·전략·조직·결과 등의 4개 항목으로 나누어 생각할 수 있다. 올림픽 당시의 상황과 오늘의 여건을 조목조목 비교하여 보자.

서울올림픽의 정책 측면을 살펴보기로 하자.

우리 정치가들과 경제인들이 올림픽을 유치하는 과정에서 보여주었던 협력은, 그 전에 비슷한 사례가 없을 정도로 진지하고 열성적이었다. 유치가 확정된 후 만세를 부르는 정치인과 경제인 대표들의 모습에서, 우리는 흔히 경험하지 못할 흐뭇한 감을 느꼈다.

올림픽조직위원장을 맡았던 노태우 초대 위원장과 박세직 당시 위원장은 그야말로 정치생명을 걸고 올림픽 기획에 몰두하였다. 조직위원들과 체육인들도 몰입하는 자세를 보여 국민적 성원을 얻어낼 수 있었던 것이다.

반면에, 산업경쟁력이 나날이 약화되고 기술개발이 부진한 오늘의 우리 여건은 어떠한가? 올림픽 유치과정에서 보여주었던 정치인과 경제인의 일치된 노력은 좀처럼 찾아볼 길이 없다. 기술전쟁의 상황 아래서 산업경쟁력 강화와 과학기술 혁신이라는 과제에 정치생명을 걸고 나서는 정치인은 아직 한 사람도 없는 것 같다.

우리가 택했던 올림픽 전략을 회고하여 보자. 우리는 미국이 주도권을 잡고 있는 육상경기에서 금메달을 따려는 무리를 한 적이 없고, 동구권의 수영과 소련의 체조를 당장 앞서고자 시도한 바 없다. 이와는 달리, 우리에게 가능성이 높은 양궁 · 탁구 · 복싱 · 레슬링과 역도 부문에서 메달 확보에 노력을 집중하였고, 이 전략이 맞아떨어져 큰 성공을 거두었다.

그러면, 우리가 오늘날 추진하고 있는 과학기술 개발 전략을 살펴보자. 마치 올림픽에서 미국의 육상, 동구권의 수영, 소련의 체조를 제치고 금메달을 따려는 듯한 인상임을 부인할 수 없다. 공업기반기술의 강화를 주창하는 정부 부처는, 기반기술과는 거리가 있는 고화질 텔레비전(HDTV) 개발을 주요사업으로 설정하였고, 과학기술 혁신을 표방하는 연구소는 기술선진국들이 장기간 투자와 노력으로 이제 실용화를 눈앞에 두고 있는 여러 핵심기술을, 한정된 인력과 부족한 예산으로 당장 개발하여야 한다고 뒤늦게 주장하고 있다. 이러한 노력은 마치 올림픽에서 스포츠 강대국의 전략종목만을 골라서 모두 메달을 따겠다는 허망한 전략에 비유될 수 있을 것이다.

필자는 88올림픽 대표선수단의 과학적 훈련을 지원하기 위하여 태능선수촌을 자주 방문하였다. 그곳에서 느꼈던 운영체계와 이에 참가하였던 선수단의 자세를 분석하여 보자.

김성집 선수촌장은 우리나라가 올림픽 참가 후 최초로 역도에서 메달을 획득하였던 체육인이다. 휘문고등학교를 나온 분들은 김성집 촌장을 기억할 것이다. 이 분은 선수촌에서 거의 상주하면서 선수촌장 역할에 최선을 다하고 있었다.

선수들을 지도한 감독과 코치들은 2주에 한번씩만 가족과 주말을 지낼 수 있었다. 이들은 거의 대부분이 국가대표선수 경력을 갖고 있으며, 지도자 훈련과정을 거친 사람들이다. 선수생활의 경험을 통하여 어린 선수들의 표정 하나로도 모든 것을 파악할 수 있는 자질을 지녔고,

철저한 지도자 과정을 통하여 이론체계를 강화하였다.

이들의 생활은 얼마나 고달픈 여정이었겠는가. 각종 시합과 해외원정의 결과에 따라 가혹할 정도의 평가와 탈락이 반복되었다. 지도에 소홀하여 휘하에서 낮은 평가를 받는 선수가 나오는 것을 일생 최대의 수치로 알았던 분들이다.

선수들의 경우는 어떠하였는가. 우리는 올림픽에 대비하여 꿈나무를 육성하였다. 온갖 경쟁을 거쳐 선수촌에 들어오는 영광을 얻었더라도, 끝없는 강훈련, 반복되는 평가전과 이에 따르는 탈락, 와신상담의 대표팀 복귀 과정을 묵묵히 수행하였다.

혼신의 노력을 기울이는 일에는 어디서나 울음이 많은 것 같다. 나이 어린 선수들은 울며 지냈다. 혼자서 울고, 여럿이 붙잡고 울었다. 남이 보는 데서도 울고 혼자 숨어 울기도 하였다. 또한 기뻐서 울고, 성적이 부진해도 울고 힘들어 견딜 수 없을 때도 울었다. 필자는 훈련에 열중하는 어린 선수들을 보면서, 노력이 부족하였던 필자 자신의 일상생활을 반성하곤 하였다.

올림픽 출전을 준비하는 선수촌장 · 감독 · 코치 · 선수에 대비되는 우리 과학기술계의 현상을 예로 들어 살펴보자.

연구소의 소장은 선수촌장에 해당할 것이다. 연구소의 장들은 태능에서 보았던 것 같은 희생적 노력과 솔선수범의 자세가 결여된 듯하다. 연구소장이 연구개발을 위해 연구소에서 장기간 상주한다는 소리는 듣지 못하였다. 연구를 위하여 퇴근이 늦은 사람들도 많지 않다. 지방에 있는 소장들은 서울 출입이 잦다. 각종 위원회와 세미나에 참석하기 위해 서울 출입이 잦을 수밖에 없다는 항변도 있다. 그러나 아무리 중요한 회의와 위원회라 할지라도, 기술전쟁 시대의 극심한 경쟁 속에서, 연구소의 일을 제쳐두고 외부업무를 도와야 한다는 논리는 설득력이 없다. 굳이 이해하자면, 연구소 업무 못지않게 중요한 외부 업무가 많다는 이야기일 것이다.

김성집 촌장이 올림픽위원회에 드나들면서 선수촌 예산확보운동을 한 적이 있을까? 체육부를 방문하여 선수단 규모를 늘이고자 설득한 적이 있을까? 체육회 각종 회의에 빠짐없이 참석하여 선수촌의 훈련업적을 자랑하는 촌장을 상상할 수 있을까?

현실을 모르면서 정책을 마련하는 고급공무원들은 선

수들과 떨어진 사무실에서 현실감 없는 훈련계획을 짜는 감독과 마찬가지일 것이다. 이제 우리는 시장에서 물건값이나 몇 개 물어보고 사진이나 몇 장 찍고는 황급히 돌아가는 정책전문가들을 더 이상 존경하지 말아야 한다.

일전에 만났던 정부 주요 부처의 어느 공무원이 귀띔하여 준 바에 의하면, 공학교육이 발전하지 못한 이유의 하나는 공과대학이 예산 부처를 잘 설득하지 못한 때문이라고 하였다. 덧붙여 말하기를 “아무래도 자주 찾아와서 사정하면 열성적인 사람이라는 증거가 되므로, 이러한 사람들을 더 지원하게 된다고 하더라”고 하였다. 물론 바쁜 업무 속에서, 예산지원의 필요성을 찾아와서 역설하는 사람은 성의가 있을 것이고, 설명을 듣고 나면 더 많은 예산도 지원될 것이다.

그러나 국가예산을 기획하는 이들에게 묻고 싶은 내용이 있다. 본인의 책임 아래 파악하여야 할 업무의 중요성과 우선순위를 ‘예산투쟁’하는 집단이기주의에 위임할 가능성은 없는가? 자기일에 충실한 사람들보다는 약삭빠른 사람들이 더 예산투쟁을 잘하는 경우도 있다고 생각하지는 않는가?

연구소의 실장·부장들도 선수촌의 감독과 코치에 해

당하는 사람들이다. 초기의 연구소 신설과정에서 많은 기여를 한 사람들이다. 그러나 국제화시대, 기술전쟁시대의 변혁기에는 이들의 실전 경험이 한정되어 있으며, 지속적인 자기개발 노력도 부족한 듯하다. 선수촌에 비유하면 대표선수 경력이 한정된 감독이나 코치가 학벌만 내세우는 것과 같을 것이다.

이제 우리 산업사회의 꿈나무들을 살펴보자. 난관이 많았던 연구에서 각고면려 끝에 마침내 성공하여 울어본 연구원들이 얼마나 되는가? 산업체의 중견 기술자가 정치동향, 연예인 동정, 아파트·증권 시세에 통달하고 있는 풍토가 계속된다면 우리 산업의 장래는 어두울 뿐이다.

연구소의 연구원들은 노조를 결성하여 권익투쟁을 하고 있다. 그러나 기술전쟁에서 전투하는 연구원들이 자신들의 권익옹호에 나선다면 그들의 주장이 쉽게 인정될 수 있겠는가?

최근에 제기된 연구원들의 불만을 들어보면, 재벌기업과 비교하여 볼 때 연구자들의 월급이 낮아서 사기가 떨어진다는 얘기가 있었다. 그러나 연구소에 노조가 생긴 이유는 여러 가지가 있겠으나, 지도계층이 잘못한 것도 있을 것이다. 혈기 넘치는 젊은 연구원들에게 밝은 전망과 정진의 목표를 제시하지 못한 점도 그 하나일 것이다.

노조가 없는 기업, 노조가 있어도 화합하는 기업이 있다. 이러한 기업의 공통점은, 사장과 관리층이 작업자들과 동고동락한다는 점이다. 선수촌의 선수들이 훈련강도를 탓하며 선수노조를 결성한 적이 있는가? 급식과 대우가 부당하다고 해서 훈련에 열중하는 동료선수를 방해한 적이 있는가? 기술전쟁의 전사들이 노조를 결성하여서는 우리의 장래는 보장받을 수 없을 것이다. 이는 마치 판문점에서 보초 서는 병사들이 근무 여건을 탓하며 야간 보초를 거부하는 행위에 비유할 수밖에 없다. 태능선수촌과 비교한 우리 사회 여러 분야의 조직 구성원들의 자세를 보면서, 이대로 가면 우리 앞날에 큰 희망이 없지 않을까 걱정하게 된다.

최근에 우리의 산업계가 당면한 위기를 극복하는 방안으로, '30분 일 더하기' 구호가 나붙고 있다. 그러나 우리가 맞고 있는 위기는 정책과 철학의 부재, 노력하는 자세의 부족에서 야기된 문제임을 깨달아야 한다. 필자는 업무효율이 근무시간의 연장보다는 업무의 중요성과 우선순위에 집중하는 정도에 따라 크게 변하는 것을 지켜본 경험이 있다.

19퍼센트에 관한 이야기를 소개하고자 한다.

필자는 어느 기업과 공동연구를 추진하는 과정에서, 기업체의 사장과 자주 이야기할 기회가 있었다.

어느날 그 사장이 필자에게 부탁이 있다면서, Y부장과 L부장의 업무추진 방식을 비교하여 알려달라고 하였다. 그의 설명에 의하면, 두 부장은 학력도 좋고 인품도 나무랄 데가 없으며, 회사업무에 대한 성실성도 의심할 바가 없는데, 이상하게도 업무성과는 항상 격차가 난다고 하였다.

사장은 이들 두 부장과 며칠 동안 같이 지낼 수 있도록 나에게 일감을 마련해 주었다. 필자는 며칠을 같이 지내며 이들이 하는 업무를 일일이 기록하고 분석하여 보았다.

그 결과, 실적이 월등히 뛰어난 L부장은 하루 일과시간 19퍼센트 만을 본연의 업무에 쓰고 있었다. 물론 나머지 시간은 놀고 지낸 것이 아니라, 각종 회의, 품의서 작성, 보고, 대외활동으로 매우 바쁘게 지냈다. Y부장의 실질적 업무시간도 L부장과 비슷한 수준이었다. 그러나 정작 두 사람의 업무 실적은 큰 차이가 나고 있었다.

이들의 업무 형태를 더욱 깊이 분석해 본 결과 매우 명쾌한 해답이 나왔다. 즉, L부장의 업무시간은 하루 일과시간의 19퍼센트에 불과하였으나 그날 그날 일의 우선순위에 투철하여, 한정된 시간이나마 집중적으로 쓰고 있었고, 그날 꼭 마쳐야 될 일이 있을 경우에만 야근을 하였다.

Y부장은 이일 저일을 건드리면서 쉬지 않고 일하였고, 야근도 자주 하였으나 실적은 뒤떨어졌다. 즉, 자기가 무슨 일을 어떤 순서로 해나가야 하는지를 알고 열심히 하는 사람과, 막연히 열심히 일하는 사람과는 성과 면에서 큰 차이가 나고 있음을 알 수 있었다.

19퍼센트의 사례를 소개하는 이유는 다음과 같다. 우리 경제가 어렵다는 공감대가 형성된 후 나온 대책으로서, '30분 일 더하기' 운동이 있다. L부장과 같이 성실하고 실적이 좋은 사람의 경우에는 30분 가운데 19퍼센트, 즉 6분을 더 일하는 결과를 기대할 수 있을 것이다. 우리 산업의 위기는 업무시간이 30분 부족하여 야기된 현상이 아니다. 30분 일 더하기 이전에 정상 근무시간의 효율과 방법에 문제가 있는 것이다.

우리는 언제부터, 어떤 연유로 선진국을 향하여 발전하고 있다고 생각하게 되었는가? 혹시 선진국이 되겠다는 우리의 목표마저도 선진국을 모방하는 과정에서 자연히 발생한 것은 아닌가? 그러면 우리가 진정으로 원할 경우에 선진국이 되는 방법은 무엇인가?

이 해답은 서울올림픽의 성공비결에서 찾아야 한다. 민주사회화와 번영을 가져오는 데 정치생명을 거는 정치인, 우리 현실을 기초로 한 발전전략, 태능선수촌의 나이 어린 선수들이 보여준 필사적인 집념과 숭고한 자세를 본받으면, 우리 88 서울올림픽에서 성취하였던 바와 같이, 머지 않아 세계 4대 선진국(G4) 대열에도 낄 수 있을 것이다.

이제 우리 부모 · 형제 · 동료 · 자식들이 서울올림픽의 지혜를 실생활에 적용해야 한다. 우리의 아버지 · 남편 · 자식들의 자세는 태능선수촌에서 본 촌장 · 감독 · 코치 · 선수들과 같이 존경할 만한가?

# 12. 우리 산업기술정책의 전개방향

—소-취-벌—

미국이 개발한 첨단기술을 이용하여 일본은 첨단제품을 개발하고, 우리는 이 첨단제품에 우리의 창의력과 문화적 특성을 가미하여 소비자의 잠재적 욕구를 충족시키는 하이터치(High Touch) 제품을 개발하여야 한다.

필자는 그동안 경험한 산학협동 연구과정에서, 우리 사회가 프로야구단으로부터 본받을 점이 많다고 느껴왔다. 프로야구단을 생각하게 된 경험사례를 소개하여 보겠다.

필자는 약 3년 전에 우리나라를 찾아온 외국의 석학 세 분을 안내하는 과정에서 지방에 있는 정부 출연 연구소와 국내 기업연구소 몇 군데를 방문한 적이 있다. 우리 일행이 찾아간 연구소마다 이들을 잘 대접하였고, 이들도 한국의 경제성장 과정을 극구 칭찬하며 우리의 장래가 낙관적이라고 누누이 강조하였다.

연구소 방문이 끝나고, 숙소에서 이들과 환담하는 과정에서 이 석학 교수들은 '학자들 사이의 대화'임을 강조하면서, 비판적인 토의를 하자고 하였다. 이들이 제기한 의문점을 요약하면 다음과 같다.

즉, "그간 방문한 연구소마다 우리에게 연구업적을 친절히 보고하였는데, 보고내용을 종합하여 보면, 연구 성공률이 거의 100퍼센트에 가까운 것으로 나타났다. 연구기간과 연구집행예산도 초기에 계획했던 내용과 거의 일치한다. 미국 정부가 수행한 최근의 성공적인 연구결과를 보면, 초기에 예정되었던 연구기간보다 실제로는 약 5배나 지연되었고, 연구예산도 초기에 추정하였던 금액보다 42배나 늘어났다. 첨단기술의 연구개발 특성은 다 비슷할 터인데 당신들은 어떻게 하는 일마다 성공적인가"였다.

필자는 이들의 질문에 경솔히 동조할 수도 없고, 또 딱 잡아뗄 수도 없어서 매우 곤혹스러웠다. 그리고 20여 년 전에도 이와 비슷한 경험을 한 적이 있다. 당시에 우리 정부를 도우러왔던 외국의 정부대표가 비슷한 분위기에서 제기하였던 질문도 우리 정부의 목표 대 실적이 "하나같이 성공적이니 과연 믿을 만한가"라고 의문을 제기해 온 것이었다.

이와 같이 상쾌하지 못했던 대화가 그후에도 자주 떠오르던 가운데 우연히 이 문제를 프로야구단과 결부시켜 보았다.

우리 주변에서 자주 듣는 '모든 연구를 성공적으로 끝마친' 경우는, 프로야구에서 '타석에 나갈 때마다 100퍼센트 안타를 친다고 자랑하는' 야구선수에 비유될 수 있을 것이다. 국내외를 통틀어서 이런 야구선수가 있는가?

지난 2, 3년간의 기록을 보면 최고의 타율을 자랑하던 선수의 타율은 34퍼센트 남짓하였고, 타격 30걸에 뽑힌 선수의 타율은 23퍼센트를 약간 웃돌고 있었다. 우리 모두가 즐겨보는 야구시합에서, 타석에 나가는 선수마다 안타를 치고 출루를 한다면, 과연 이 야구경기는 팬들을 열광시킬 수 있을 것인가?

야구에서는 상상조차 할 수 없는 개념이 왜 우리 산업계·대학·연구소·정부 일각에서는 아직도 통용되는 듯한 인상을 주는가?

언제부터인가 우리 사회에는 파행적인 균등주의와 정체를 조장하는 평준화 개념이 잘못 통용되기 시작하더니, 이제 안주의식과 하향평준화 현상이 사회의 각계 각층에 만연되면서 국가발전을 저해하는 가장 심각한 장애물이 되고 있다.

평준화 개념의 확산은 국가발전과, 나아가서는 국가생존을 위해 절대적으로 필요한 '경쟁'을 사전에 제거하는 관행으로 연결되고 있고, 안주의식은 사회발전을 위해 필수적으로 요구되는 '모험정신'과 '변화의 수용'을 기피하는 풍토로 악화되고 있다.

만일 이러한 관행이 프로야구단에 적용된다면 야구경기의 형태는 어떻게 나타날 것인가?

우선 100퍼센트 안타 칠 자신이 없는 선수는 타석에 나가기를 거부할 것이다. 감독과 코치도 타순을 정하기 전에 선수들에게 물어볼 것이다. "꼭 안타를 칠 자신이 있느냐?"

매년 시즌이 끝나고, 구단과 줄다리기가 그치지 않는 연봉협상은 어떤 형태로 변할 것인가? 모든 구단이 균등한 대우를 하여야 하고, 선수들마다 4번타자가 될 것을 주장할 것이다. 그러나 그보다 전에 야구는 팬들로부터 배척받아 생존할 수 없게 될 것이다.

외국의 석학 교수가 필자에게 완곡히 질문한 의도도 이와 같을 것이다. 얼마나 쉬운 연구를 하였기에 성공률이 그토록 높은가? 과제를 수행하였던 사람이 평가마저도 담당하여 자화자찬하는 관행은 없는가? 모두 이렇게 성공적이면 인정받는 사람도, 도태되는 사람도 없을 수밖에 없지 않은가?

필자가 '25인의 죄수부대'에서 초기에 자주 경험하였던 고민도 "성공이 보장되지 않은 연구를 무슨 억하심정으로 우리에게 맡기려 드느냐"고 항변하는 '죄수'를 설득하는 일이었다.

그러나 프로야구단에서조차 통용될 수 없는 우리의 안주철학이 우리 주위에서 계속 통용된다면, 우리는 '균형적 평행적 전반적인 도태'를 맞을 수밖에 없을 것이다.

이와 같은 철학의 빈곤은 누가 책임져야 하는가? 두말할 것도 없이 우리 사회의 지도계층 · 지식인 · 전문가들이 가장 큰 책임을 져야 하며, 우리 학부모들도 상당 부분 책임을 통감하여야 할 것이다. 우리 지도계층 · 지식인 · 전문가들이 안주와 정체에 빠졌기 때문에 사회 전반의 안주와 정체를 치유하지 못했으며, “내 자식만은 무슨 일이 있더라도 보호되어야 한다”는 주책없는 사랑에 집착하였기 때문에 청소년들조차 안주와 정체에 빠져들고 있는 셈이다. 사회구성원의 상당수가 이와 같은 사고에 익숙하여 있다면, 우리가 세우는 어떠한 발전계획도 종국에 가서는 안주와 정체로 귀착되고야 말 것이다.

그러면 이러한 현상의 타개책은 무엇인가? 프로야구단의 사례에서 우리의 발전방향이 명확히 떠오를 것이다. 우리 산업의 발전을 추구하는 기업, 미래의 역군을 교육하는 대학, 기술전쟁의 첨병들의 일터인 연구소, 국가발전을 계획하는 정부가 최우선의 사업으로 착수할 사항은 ‘사고의 혁신’, ‘발상의 전환’, ‘상식과 순리의 회복’이다.

‘사고의 혁신’의 필요성은 프로야구단의 운영제도를 보면 즉시 깨달을 수 있을 것이다.

즉, 프로야구에서는 안타를 자주 허용하는 투수를 교체한다. 그 투수는 얼마나 창피하고 마음이 아프겠는가? 혹시 좌절하지 않겠는가? 의기소침하여 연습을 게을리할 우려는 없는가? 그러나 좌절만 하고 분발하지 못하면 우리는 냉혹하게 그 선수를 도태시켜 왔음을 기억하여야 한다.

우리 국가 발전정책의 가장 중요한 철학은 모험과 실패, 경쟁과 평가, 집념과 희생, 생존과 도태를 근본개념으로 다시 정립되어야 한다.

'발상의 전환'이란 무엇인가?

발상의 전환이 가장 시급히 요구되는 대상이 지도계층·지식인 · 전문가일 것이다. 발상의 전제는 우리 현황의 정확한 파악에 있다. 우리의 처지와 여건, 자세와 인식을 무시하고, 황급히 선진국만을 뒤쫓는다면 새로운 발상이 이루어질 수 없을 것이다.

과학기술정책을 추진하는 과정에서 각 분야의 전문가가 주장하는 첨단 과학기술이 모두 국가 추진과제로 선정되어 왔다. 선진국이 이미 개발해 놓은 기술인데 우리도 뒤늦게 개발하여야 하느냐고 반문하면 '어차피' 필요한 기술이기 때문에 개발해야 한다고 한다.

그러나 이 논리는 잘못된 발상이다. 모든 첨단기술을 개발하여야 한다면 우리는 이를 뒷받침할 예산과 인력이 있는가? 설혹 우리가 이 모든 기술을 개발한다고 치고, 더욱이 모든 개발이 계획대로 5년에서 10년 후에 성공하였다고 치자. 그 시점에 가면 기술선진국들은 지금보다 몇 배나 앞선 새로운 첨단기술을 개발해 놓고 기술이전을 거부할 것이다. 우리는 '어차피' 필요한 기술이므로 장기계획을 수립하여 또 뒤쫓고자 할 것이 아닌가?

프로야구에서 모범적인 선수는 자기의 장점을 개발하는 데 주력한다. 타격이 좋은 선수는 이를 더욱 강화하고자 할 것이고, 수비가 좋은 선수는 훈련계획이 수비력 연마에 집중될 것이다. 그러나 만일 타격이 좋은 선수가 모든 것을 '골고루' 잘하고자 수비연습에도 열중하고, 수비 전담인 선수가 투수도 하고 싶어서 감독의 지시를 어긴다면 이 팀이 좋은 성적을 낼 수 있겠는가? 만일 이와 같은 분위기를 허용한다면, 그 팀의 감독과 코치는 지도능력이 있는 전문가로 인정받겠는가?

시야를 돌려, 선진국의 예를 통해 발상의 전환을 시도하여 보자. 선진국들 사이에는 겹치거나 중복되는 첨단기술도 없고, 다른 선진국이 개발한 기술을 뒤쫓는 사례도 거의 없다는 점을 알아야 한다.

예를 들어 스위스의 경우를 보자. 시계로 대표되는 정밀산업 하나로 세계 최고의 국민소득을 자랑하고 있다. 우리보다 여건이 좋은 스위스는 왜 반도체산업을 육성하지 않는가? 그들은 그들의 여건에 충실하였고, 분수에 맞는 국가발전정책을 세워 이에 집요한 노력을 기울여 왔던 것이다.

문화적 배경도 발상의 중요한 고려 요소이다. 이탈리아는 패션산업으로 기술선진국 대열에 당당히 들어선 나라이다. 만일 이탈리아가 그들의 문화적 자부심, 예술적 감각, 자유분방한 성격을 무시하고 일본 전자산업과 제휴하여 텔레비전을 조립하였다면 지금쯤 어떻게 되었겠는가?

그들에게 제복을 입히고 아침, 저녁으로 보건체조를 시키고 국가(國歌)를 연주하며, 정리정돈으로 대변되는 간판시스템을 강요하였다면 얼마나 성과가 있었겠는가?

왜 이탈리아는 미국의 디트로이트와 제휴하여 자동차 산업을 개발하지 않고, 스타일과 특성이 두드러진 이탈리아 고유모델 개발을 고집하였는가? 그들 수준에 맞게 피아트 같은 대중용 승용차생산에만 전념할 것이지 왜 페라리 같은 최고급 스포츠카를 만들었는가?

이들은 그들이 갖고 있는 문화적 자부심을 산업발전에 이용할 줄 알았던 것이 틀림없다.

이와 같은 예는 얼마든지 들 수 있다. 기계공업으로 선진국을 이룩한 독일이 컴퓨터산업, 통신사업으로 선진국과 경쟁한 적이 있는가? 일본의 전자산업이 단시일 안에 소프트웨어산업으로 미국을 앞서겠다고 선언한 적이 있는가? 이들의 여건이 우리보다 좋은데, 이들이야말로 선진국이 보유한 모든 첨단기술을 개발하여야 할 것 아닌가?

그러나 이들은 몰라서 안하는 것이 아니다. 이것 저것 다하다 보면 아무것도 될 것이 없기 때문에, 국가전략 차원에서 해서 불리한 것은 하지 않기로 결정한 것이다. 기술전쟁시대에서, 아무리 노력해도 세계 제일이 못 되고, 아무리 잘 되어도 2등에 불과한 기술은 착수조차 하지 않는 것이다.

우리의 예를 들어보자. 무엇보다도 먼저 국익 차원의 우선순위에 입각한 전략적 선별적 집중적인 산업정책이 있어야 할 것이다. 어떤 분야의 어떤 기술을 집중개발하며, 이의 지원은 어떻게 할 것인가? 이에 대한 철저한 선행연구가 수행되어야 한다. 이런 준비없이 산만하게 전개하는 정책은 거의가 유실될 것이다.

프로야구팀의 감독과 코치가 제일 먼저 책임지고 파악하여야 할 부분이 무엇인가? 다가오는 시즌을 대비하기 위하여, '어느 부문의 실력을 보강할 것이며, 어느 선수의 무슨 기술을 보강할 것인가'를 철저히 파악해야 한다. 이를 소홀히 하고, 사명감과 책임의식이 서로 다른 선수들에게 막연히 '금년 시즌에 우승할 수 있도록' 알아서 잘 하라고 주문하는 법은 없을 것이다. 즉, 발상의 전환은 지도계층 · 지식인 · 전문가들에게 가장 시급히 요구되고 있다.

'상식과 순리의 회복'이 이루어지지 않으면 '사고의 혁신'과 '발상의 전환'이 제 아무리 잘 이루어진다 하더라도 우리의 모든 노력은 결국 무산될 것이다. 한정된 예산으로, 성적이 부진한 야구팀 선수 전원의 모든 취약점을 동시에 보강하고자 하는 무모한 감독 · 코치는 없을 것이다.

마찬가지로 제조업 분야의 경쟁력도 모든 산업 분야에서 일시에 강화될 수는 없을 것이다. 이 과정에서 '상식과 순리'의 중요성이 강조되고 있으나, 이의 회복은 쉽지 않을 것이다.

상식과 순리에 입각한 업무추진이 어려울 수밖에 없는 이유를 들어보자. '여러 제조분야 가운데서 어떻게 일부

만을 선정할 것인가?', '지원대상에서 제외된 기업들은 가만히 있을 것인가?', '꼭 이 방법만이 좋다고 말할 수 있겠는가?' 매우 부담스럽고 판단하기 어려운 문제이며, 이를 극복하기 위하여는 신념과 집념이 필수적이다. 그러나 전문행정가가 이 부담스러운 업무를 맡지 않는다면 누가 이 일을 대신할 수 있겠는가?

'사고의 혁신', '발상의 전환', '상식과 순리의 회복'이 이루어진 후에 대두될 우리의 과제는 무엇인가? 우리의 문화배경과 우리의 국민성과 우리의 포부가 담긴 발전의 목표를 모두의 지혜를 동원하여 찾아야 한다.

이 과정에서 우리의 목표를 설정하는 원칙과 기준이 명시되어야 할 것이다. 즉, 무조건 독특하고 새로워야 한다. 가장 좋은 품질이며 가장 값싸야 한다. 세계 각국의 잠재수요를 겨냥하여야 하며 새로운 시장을 창출하여야 하고, 이를 독점시장으로 연결시켜야 한다.

이와 비슷한 내용을 어느 세미나에서 제안하였더니 현실적 여건을 무시한 매우 무책임한 이상론이라고 비판하는 사람이 있었다. 그래서 반문하였다. "그러면, 지금같이 선진국 기술을 구걸하면서 아무런 희망과 포부없이 모방 답습하는 것은 현실적이고 책임감이 있는 처사인가"라고.

이제부터라도 목표를 새로이 세워야 한다. 이를 소홀히 하면 우리의 산업기술정책은 발빠른 여러 선진국의 뒤를 동시에 애써서 쫓아다니다가 마침내 탈진할 것이며, 선진국 기술의 아류가 되기를 자청할 것이며, 결국 기술식민지로 여전히 이어질 것이다.

우리는 무엇을 갖고 있는가? 우리의 문화적 유산은 무엇인가? 국민적 특성은 어떠하며, 우리의 포부는 무엇인가?

얼른 대답이 안 나올 것이다. 곰곰이 깊은 생각을 해보지 못했기 때문이다.

필자는 일상 대화중에서 우리가 갖고 있는 것이 많다는 생각을 자주 하게 되었다. 일전에 젊은 장군과 여러 이야기를 나누던 가운데, 그가 "우리 시골 개울에 서식하던 피라미가 세계적인 관상어임에도 불구하고 보호에 소홀하여 거의 멸종되다시피 해 아깝기 짝이 없다"는 말을 하였다. 재미있는 내용이라서 왜 피라미가 그렇게 좋은 관상어라고 생각하느냐고 물었더니, 어항 속에 넣고 보면 피라미가 발하는 야광 분위기가 아주 환상적이라고 하였다.

일전에 서울 근교를 지나던 도중, 경찰견 훈련학교에서 한참 경찰견 훈련중이어서 잠시 구경하며 그곳의 애견가와 얘기를 나누었다. 그는 우리나라 진도개가 세계적으로 가장 우수한 사냥개라는 것을 아는 사람이 드물다고 하였다. 그 옆에 있던 자그마한 진도개를 가리키며, 노루를 28마리나 잡은 개이며, 그 집안의 자녀 교육비는 그 개가 도맡은 것이나 다름없다고 하였다.

그는 최근에 신문에 소개된 바 있는 삽살개에 관해서도 칭찬을 거듭하였다. 삽살개는 세계적으로 유명한 우수 투견종보다도 송곳니가 1.5배나 길다고 하였다. 싸움을 잘할 수밖에 없다고 하였다. 주인을 보호하는 충성심은 어떤 경호견보다도 강하며, 옛날에 화랑들이 무사의 상징으로 아끼던 개라고 하였다. 일제시대에 거의 멸종되었던 삽살개가 이제 보존되게 되었으니 보존에 앞장서온 교수에게 민족상을 주어야 한다고 제안하기도 하였다.

미국유학 기간 동안에 《동의보감》의 학문적 가치를 새삼 느낀 적도 있었다. 당시 근육의 피로현상 연구를 위하여 그곳 대학병원에서 의사들과 실험을 하는 경우가 자주 있었다. 이때 한 실험실에서 실험용 쥐를 두 그룹으로 나누어 새로 개발된 치료약의 효과를 평가하고 있었다.

왜 두 그룹으로 나누어 놓았느냐고 물었더니, 이제마(李濟馬)가 《동의수세보원》(東醫壽世保元)에서 강조하는 사상의학(四象醫學)과 비슷한 생체리듬 이론을 설명하여 주었다.

즉, 한 그룹은 쥐의 발육상태, 발모상태, 그날의 체온과 운동량 등을 종합적으로 판정하여 쥐의 상태에 따라 투약량을 조정하여 주고, 다른 한 그룹의 쥐에게는 무조건 일정량을 투약하면서 두 그룹의 치료효과를 비교 평가한다는 것이다.  결과는, 쥐의 체질을 감안하여 약을 주는 것이 월등히 좋은 치료효과를 보여주었다고 하였다. 마치 사상의학에서 사람의 체질을 태음(太陰)·태양(太陽)·소음(小陰)·소양(小陽)으로 나누고 체질에 따라 치료를 달리하던 우리 선조의 지혜가 세계를 제패할 것이라는 생각이 들었다.

이제까지의 내용을 요약하여 보자.

균등과 평준화에 젖어온 근래의 우리 사고가 하향평준화를 초래하였으며, 이에 따라 모험과 실패를 회피하고, 경쟁과 평가, 생존과 도태를 기피하는 안주와 정체 분위기가 우리 국가발전을 저해하는 가장 심각한 문제로 대두되고 있다.

이의 해결을 위하여 우리가 프로야구단에서 배워야 할 교훈이 많으며, '사고의 혁신', '발상의 전환', '상식과 순리의 회복'을 기대할 수 있다. 이로부터 우리 문화와 우리 국민 특성에 입각한 산업기술 발전전략이 나올 수 있으며, 국익 차원의 우선 순위 아래서 선별적 전략적 집중적 지원이 이루어져야 활로가 열릴 것은 이미 설명하였다.

이제 산업기술 정책의 전개방향을 살펴보자.

우리의 궁극적인 산업기술 정책은 우리 고유문화에 입각한, 세계에서 가장 독특하고, 최초·최고의 대상을 찾아야 하며, 잠재수요 개발과 고유시장(Niche Market) 확보에 이어 독점시장을 형성하여야 한다. 이 길만이 우리 국가산업의 유일한 장기발전방안이 될 것이다.

그러나 이와 같은 장기전략이 수행되는 동안 우리 제조업을 지탱하여 갈 과도기적인 중기계획이 당연히 있어야 할 것이다.

지난 20세기 후반의 미국과 일본의 기술발전 과정을 살펴보면, 미국의 '첨단기술(High Tech)개발'과 일본의 '첨단기술을 응용한 제품(High Tech Product)개발'로 나눌 수 있다. 미국이 장기간 대규모 투자를 계속하여 개발한 첨단기술은 일본 전자산업에서 미국의 약 4배에서 6배의 속도로 제품개발에 연결되었다.

비유하여 묘사하면, 미국의 첨단기술 개발은 우람한 체력을 바탕으로 달려나가는 '소'에 해당하며, 미국이 개

발한 첨단기술을 제품개발에 연결시키는 일본의 기술은 소 머리 위에 앉아 있다가 결승점에서 먼저 뛰어내리는 '소 머리 위에 앉은 쥐'라고 할 수 있다.

현재 체력이 약한 우리가 아무리 소와 소 머리 위에 앉은 쥐를 험로에서 뒤쫓아보아야 별 수가 없다. 이러한 엄연한 현실을 바로 보고 여기에 우리의 산업기술 발전전략이 가미되어야 우리 고유의 영역이 창출될 수 있다.

즉, 우리는 '소'와 '소 머리 위에 앉은 쥐'와 사이좋게

지내면서 '소 머리 위에 앉은 쥐의 머리 위에 앉은 벌'이 되어야 한다. 미국이 개발한 첨단기술을 이용하여 일본은 첨단제품을 개발하고, 우리는 이 첨단제품에 우리의 창의력과 문화적 특성을 가미하여 소비자의 잠재욕구를 충족시키는 하이터치 제품을 개발하여야 한다.

흔히 산업의 주기는 30년이라고 한다. 산업의 발전단계는 도입기 · 성장기 · 성숙기 · 쇠퇴기 등 4단계로 분류되므로, 7.5년마다 단계적 전환이 이루어져야 한다. 성공적인 기업 운영과정에서 나타난 바와 같이, 각 단계마다 세 번의 혁신이 이루어진 기업만이 지속적인 성장을 유지하여 왔다. 즉, 기업의 혁신주기는 2.5년인 셈이다. 반면에 상품수명은 1년이라고 한다. 하이터치 전략이 얼마나 빠른 속도로 추진되어야 할지 짐작될 것이다.

이와 함께 산업기술 정책의 평가주기와 정책의 수정도 어떤 속도로 반복 운영되어야 하는지도 쉽게 짐작될 것이다. 속도가 가장 중요한 것이다.

이것이 '소－쥐－벌' 전략의 요체이다. 이와 같은 전략이 효과를 거두려면, '사고의 혁신', '발상의 전환', '상식과 순리의 회복'이 이루어져야 한다. 국제화 시대를 맞이하여 우리의 전략은 미국·일본을 비롯한 세계 각국으로도 전파되어야 할 것이다. 우리도 기여하여야 하기 때문이다. 그러나 이들이 우리보다 더 잘하면 어쩌냐고 걱정할 필요는 없다. 왜냐하면 우리의 전략은 우리의 창의력과 문화에 바탕을 둔 것이며, 따라서 이 전략에 의한 경쟁에서 우리는 이길 수밖에 없기 때문이다.

이와 같은 자세의 필요성은 정보혁명시대의 변혁기를 맞아 더욱더 그 중요성이 강조되고 있다.

## 13. 정보혁명시대의 유망사업
### — 토끼와 거북이, 無主地先占 —

정보혁명시대를 대비하는 우리의 바람직한 전략은 무엇인가? — 보이는 것은 포기하고 보이지 않는 것을 추구하라/변할 것과 변하지 않을 것을 명확히 구분하라/빠른 것을 보려고 애쓰지 말고 느린 것을 자세히 보아야 한다.

18세기 중반의 제임스 와트가 직물공업에 응용하기 위하여 발명한 증기기관은 강폭이 넓은 미국의 증기선으로 변형되어 신대륙 개척의 핵심적 역할을 하였다. 이와 같이 하나의 새로운 기술은 국적과 활용분야를 넘나들면서 기존 산업을 확장시킴은 물론이거니와 새로운 산업을 탄생시킨다.

마치 연못에 작은 돌 하나를 던졌을 때 생긴 하나의 파문이 전체 연못으로 확산되는 일파만파(一波萬波) 현상과 같다고 볼 수 있다. 산업혁명이 완료되고 정보혁명이 전개되는 변혁가의 문턱에 선 우리가 가져야 할 바람직한 태도는 바로 연못의 파문현상을 관찰하며 새로운 파문을 예측하는 것에서 찾아야 할 것이다.

우리는 요즈음과 같은 시대적 변혁을 국가·기업과 개인 발전의 절호의 기회로 활용하여야 한다. 변화가 없는 시대에서는 위상의 변화가 쉽지 않을 것이다. 바꿔말하면, 산업혁명이 성숙한 체제로 발전되었던 시대에서는 선진국·중진국·개발도상국의 위치가 역전되기는 어려웠을 것이다. 반면에 급속한 변화가 진행되는 새로운 시대상황 아래서는 적지 않은 위상 변화가 예상되며, 이러한 시대적 변화를 수용하고자 노력하는 정도에 따라 새로운 발전의 여지도 무한할 것이다.

이와 같은 좋은 기회를 우리는 잘 활용할 수 있을 것인가?

우리 연구팀은 최근 국내 대기업이 다투어 기획하고 있는 '미래유망사업'에 관한 전반적 타당성을 심각하게 분석하여 보았다. 분석한 결과를 종합하여 볼 때 우리의 산업정책과 경영전략에 근본적인 취약점이 있음을 발견

하였다. 정부와 산업계의 발전계획이 안고 있는 문제를 토끼와 거북이 이야기에 비유하여 보자.

우리는 어릴 적에 '토끼와 거북이의 경주'에서 큰 교훈을 얻었다. 즉, 빠름을 과시하던 토끼가 낮잠을 자는 동안에, 발걸음은 느리지만 꾸준히 노력한 거북이가 경주에서 이겼다는 이야기이다. 이제 정보혁명시대를 맞이하면서 이 교훈을 새로운 시각으로 수정하는 노력이 필요하다.

국제화시대 상황 아래서 발빠른 토끼는 선진국에 비유되고, 발걸음 느린 거북이는 우리의 처지에 해당될 것이다. 최근에 급격히 진전되어 온 몬트리올 협정에서의 '오존층 보호대책', 리우 협정의 '탄산가스 규제대책'을 보면, 두 가지 사실을 알 수 있다. 즉, 토끼는 좀처럼 낮잠을 잘 것같지가 않다는 점과, 이에 추가하여, 앞서 나간 토끼는 뒤쫓는 거북이가 따라오지 못하도록 웅덩이를 파고 철조망도 치면서 달려나간다는 점이다.

이런 시대적 변화를 정확히 파악하지 못하면, 거북이는 '쉬지 않고 기어가기만 하면 경주에서 이긴다'는 구태의연한 발상에서 헤어나지 못할 가능성이 있다. 그렇다면, "기술전쟁 시대에 토끼와 경쟁할 거북이는 어쩌란 말이냐"라는 반문이 생길 것이다.

거북이는 토끼와 보완적인 관계를 구축하여야 한다. 좀더 현실적인 우리의 발전방안을 예를 들어 구상하여 보자. 거북이는 토끼가 지나간 길만 무작정 쫓아다니지 말고, 목과 손발을 몸속에 집어 넣고, 토끼가 후에 찾아

을 절벽 밑의 풀밭으로 몸을 굴리는 용기와 지혜가 필요하다.

다른 방법도 있을 것이다. 토끼에게 영양가가 풍부한 해초를 제공하고, 토끼로부터 거북이가 필요한 고지대의 열매를 얻음으로써 상부상조하는 협력관계를 구축할 수도 있을 것이다.

절벽으로 몸을 굴리고, 토끼에게 해초를 제공하며, 토끼로부터 고지대의 열매를 얻는 거북이의 변신과정에서

취해야 할 새로운 대응방안을 예시하여 보자.

먼저 거북이의 철저한 신념, 즉 토끼가 지나간 길을 뒤쫓지 않겠다는 새로운 원칙이 확고히 정립되어야 한다. 앞서 몇 차례 언급한 바 있으나, 이 원칙을 우리의 처지에 맞추어 다시 한번 강조하여 보자.

즉, '보이는 것은 포기하고 보이지 않는 것을 추구하라'는 원칙이다. 예를 들어 산업혁명 초기에, 영국의 첨단기술이었던 '방적기를 위한 증기기관'을 신대륙 미국에서 뒤늦게 쫓으면서, "우리도 제임스 와트의 증기기관을 10년 걸려 기어코 개발하여 미국의 방적산업을 발전시키고야 말겠다"고 했었다면 미시시피강을 오르내리며 미국 발전을 촉진시켰던 증기선이 나올 수 있었겠는가?

미국은 '영국의 방적공장에서 보이는 것'을 쫓지 않고 '미국의 미시시피 강에서 보이지 않는 것'을 추구하였던 것이다. 정보혁명시대의 초입에 선 우리가 추구하여야 할 가장 중요한 자세는 모험과 창조정신임을 알 수 있을 것이다.

두번째 명심할 사항은 '변할 것과 변하지 않을 것을 명확히 구분하라'는 원칙이다.

제임스 와트의 증기기관은 영국의 방적산업에서 미국의 증기선으로 변하였다. 그러나 대서양을 횡단하던 선박은 증기기관이 나온 지 100년이 지나도록 증기선으로 바뀌지 않고 계속 범선이 운행되었던 것이다. 증기선은 석탄을 많이 실어야 한다. 그러나 승객·화물을 실어야 할 대서양 횡단선에 석탄만을 싣고 다닐 수 없었기 때문에 계속 범선이 운행되었던 것이다.

이 사례는 정보혁명시대에 우리가 시도하여야 할 '모험과 창조정신'이 '철저한 분석'을 거쳐 추진되어야 함을 가르치고 있다.

우리의 세번째 원칙은 '빠른 것만을 보려고 애쓰지 말고 느린 것을 자세히 보아야 한다'는 점이다. 산업혁명 초기의 증기기관을 이용한 방적기계의 개발은 단기간에 이루어졌으나, 이 원리가 몇 단계를 거치며 발전한 자동차산업, 산업의 동력화는 장기간에 걸쳐 서서히 진행되어 모든 산업 분야로 확산되었다.

이와 마찬가지로 첨단기술의 개발을 뒤늦게 뒤쫓는 것은 증기기관을 뒤늦게 개발하고자 하는 것과 마찬가지이며, 설사 개발에 성공하였다 하더라도 그 기대효과와 적용 분야는 한계가 있을 것이다. 오히려 증기기관의 원리

# 선진국의 특징 – 불가사리

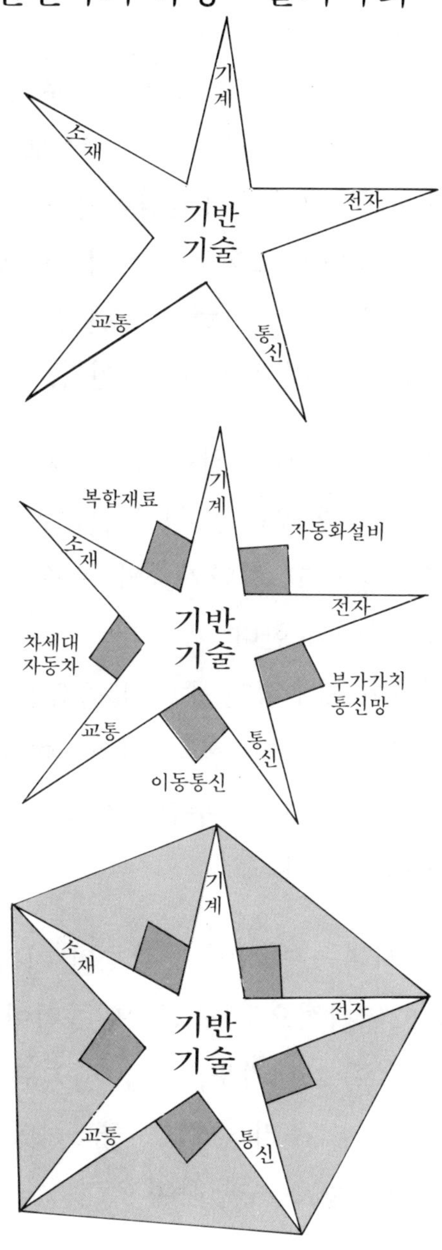
기계
소재
전자
기반 기술
교통
통신
복합재료
기계
자동화설비
소재
전자
기반 기술
차세대 자동차
부가가치 통신망
교통
통신
이동통신
기계
소재
전자
기반 기술
교통
통신

가 몇 단계의 발전을 거쳐서 자동차산업과 산업동력화에 적용된 것과 마찬가지로, 컴퓨터로 인하여 야기될 사회상의 변화, 새로운 제품의 출현, 정보서비스 문화의 확산 등 느린 것을 겨냥한 개발전략이 구상되어야 한다. 마치 거북이가 발빠른 토끼를 맹목적으로 뒤쫓기보다는 토끼가 찾아올 풀밭을 예측하고 느린 걸음으로나마 그곳에 먼저 도착해 있는 것과 마찬가지이다.

이와 같은 세 가지 원칙을 운영하기 위한 우리의 준비사항은 무엇인가? 우리는 첨단기술의 눈부신 발전을 이리저리 뒤쫓지 말고 첨단기술의 목록을 놓고 이의 전개방안을 해석하여야 한다.

이를 위하여 필수적인 준비가 필요한바, 그 내용은 해외기술동향의 신속한 수집과 예측, 이 내용을 활용하기 위한 창의적 노력, 이를 추진하기 위한 효율적 운영방안의 수립이 될 것이다.

정보혁명시대는 우리에게 절호의 기회를 제공하고 있다. 우리는 역사적으로도 문화민족임이 입증되고 있으며, 지형적으로 보더라도, 각종 서역문화와 대륙문화를 소화하여 독특한 우리 문화를 창조하였고, 이를 전파하는 중요한 역할을 잘 수행하여 왔다.

우리의 지정학적 위치를 활용한다면 가까운 장래에 세계인구의 절반을 차지하는 태평양지역의 주역으로 부상할 수 있을 것이다.

보이지 않는 것을 보려는 노력에서 우리의 고유기술이 창조되고, 변하지 않을 것을 찾음으로써 보유기술을 활용하고, 변할 것을 사전에 가려냄으로써 경쟁의 우위를 확보하고, 느린 추세를 미리 파악함으로써 한정된 자원으로 대국과의 경쟁이 가능할 것이다.

다시 강조하거니와 정보혁명시대를 맞이하여 우리는 역사적으로, 문화적으로, 또는 창의적인 자질에서 무한한 잠재력을 보유하고 있음을 숙지하고, 새로운 변혁의 시대는 우리에게 절호의 기회를 제공하고 있으며, 우리의 각오에 따라 이를 추진할 능력도 있음을 알고 자신있게 멀리 보고 대처하여야 한다.

토끼와 거북이의 교훈에서 발상이 시작된, 정보혁명시대를 맞는 우리의 국가전략은 무주지선점(無主地先占)이어야 한다.

## 14. 지도자를 기다리며

지금 우리에게 가장 절실히 요구되는 것은 숭고한 '지도자 정신'과 투철한 '지도자의 역할'이다. 지도자의 특징은 사회의 변화를 추구하며 국민으로부터 깊은 신뢰와 존경을 받는 인물이라는 점에서 일반 경영자와 구별된다.

이제까지 우리의 기술과 우리의 산업문화에 새로운 발전의 전기를 마련하는 방안의 하나로써, 우리의 독자적 경영철학 W이론의 필요성을 강조하였고, 이 W이론의 실체는 우리민족 고유의 특성인 신바람에 있음을 제안하였다〔起〕.

W이론을 정립하기 위한 정신적 기반은 옛 선조들이 이미 제창한 바 있는 실사구시(實事求是) 정신에서 찾아야 하며, 현실을 정확히 파악하고자 산업계·대학·연구소와 정부의 현황을 있는 그대로 살펴보았다〔承〕.

또한, 우리의 의지와 자세에 따라서는 잠재력이 무한하고, 전망이 밝음을 몇몇 사례를 통하여 증명하였으며〔轉〕, 새로운 발전방안을 제안하였다〔結〕.

발전방안〔結〕에서 제안한 내용은, 기술민족주의 또는 기술패권주의 시대로 불리는 이 변혁의 시기는 우리에게 무한한 도약의 기회를 제공하며, 우리의 문화적 전통과 현실을 바탕으로 한 토양에서 창의력이 깃든 새로운 종자가 개발될 수 있는 절호의 계기임을 강조하였다.

이와 같은 과정에서 시안으로 제시된 W이론의 구조는 문화토양의 특성을 파악하고 이를 활용하려는 '실사구시' 정신, 우리의 토양을 무시하며 해외의 종자에만 주책없이 집착하여 온 잘못된 관행을 바로잡기 위한 '기본철학', 이와 같은 철학이 우리의 사고와 생활에 뿌리를 내릴 때까지 헤쳐나아갈 과정이 길고 험난할 것임을 경고하는 우리의 '추진자세', 이러한 변화를 이끌어갈 '지도자 정신'으로 이루어졌다.

지금 우리에게 가장 절실히 요구되는 것이 숭고한 '지도자 정신'과 투철한 '지도자의 역할'이다. 지도자의 특징은 사회의 변화를 추구하며 국민으로부터 깊은 신뢰와

기본철학

사고의 혁신

발상의 전환

상식과 순리의 회복

산업계

기술 수요 창출

하이터치–무주지선점

대학

창의력 개발

보이지 않는 것의 파악

추진자세

모험과 실패

생존과 도태

경쟁과 평가

집념과 희생

신 바 람

독자기술

고유산업

국제교류

태평양시대

자부심의 부활

희망과 포부

지도자

실사구시

문화적 여건

역사적 배경

지리적 위치

시대적 상황

고유 자원

국민특성

연구소

산업기술수요의 공급

독자-고유기술 개발

정 부

우선순위 선별지원-집중육성

협력분위기 조성

동고동락

공생공사

자리이타(自利利他)

솔선수범

공동목표

지도자정신

존경을 받는 인물이라는 점에서 일반 경영자와 구별된다.

역사적으로 보더라도 변혁의 시대, 격동의 시대, 나라와 겨레의 위기상황에서 걸출한 지도자가 배출되었으며, 이들은 '자기를 잊는 희생정신과 솔선수범'으로 존경을 받았고, 그 시기마다 '밝은 전망과 포부'를 국민들에게 제시함으로써 험난한 여정을 극복하였다. 이 과정에서 지도자들은 예외없이 국민들의 자부심을 고양함으로써 신바람을 불러일으켰다.

이러한 지도자들이 우리 가정·산업계·대학·연구소·정부 등 각계 각층에서 배출될 때 우리 겨레의 신바람은 더욱 흥을 돋울 것이며, 이러한 신바람은 정보혁명시대의 전기(轉機)와 태평양 시대의 시운(時運)을 맞아 나라와 겨레가 문화선진국으로 발전함은 물론이거니와 인류복지 향상에 크게 기여하게 될 것이다.

인문 · 사회 · 자연과학도를 위한 교양신서 1

## 부분과 전체

하이젠베르크 / 김용준 역(고대 교수)
신국판 / 반양장 332쪽

노벨 물리학상의 수상자인 저자가 50년 동안 종사해온 原子物理學 연구를 해오는 동안에 부딛쳤던 여러 주요 문제를 회상기 형식으로 엮은 이 책은 단순한 자연과학만의 논의가 아니라 "현대원자물리학은 철학적이며 윤리적이고 정치적인 문제에 이르기까지 새로운 문제점을 던지고 있다"고 갈파한 인류 양심의 고백록이기도 하다.

인문 · 사회 · 자연과학도를 위한 교양신서 2

## 무한과 유한

다께우찌 게이 엮음 / 김용준 옮김
신국판 / 반양장 275쪽

"우주는 무한인가, 유한인가"라는 우주관의 근본문제에 대해서, 유한한 우주관에 바탕을 둔 중세적 사고로부터 뉴튼 물리학에서 비롯되는 무한적인 근대적 우주관의 성립·발전과정을 설명하면서, 종교·역사·경제·수학·물리·생물·예술학적인 측면에서 나타나는 무한성과 유한성에 대해 고찰하였다.

## 世界醫學의 歷史

아커크네히트 저 / 허 주 역
신국판 / 반양장 346쪽

東西 세계의 모든 醫學, 先史病理學에서부터 현대의 分子病理學에 이르기까지 광범위하고 심히 분화된 의학과 의술의 역사를 조리있고 알기 쉽게 정리한 세계적인 의학사개설서. 서양의학을 도입한지 100년이 넘은 한국 의학계에 최초로 등장한 좋은 선물이다. 권말에 300점에 가까운 사진과 해설이 있어 더욱 의학사에 흥미를 느끼게 하고 있다.

## 韓國園藝植物圖鑑

윤평섭 지음
국배판 / 양장 1,122쪽

우리나라 자생식물 가운데 세계적 원예식물로 개발이 가능한 500여 종을 포함, 이미 국내에서 채소·과수·정원수·관상수로 이용되고 있는 외래종의 관상·화훼식물 3,500여 종을 합쳐 4,000여 종을, 각 식물의 우리말 이름, 한자이름, 일본이름, 영어이름, 學名, 원산지, 특성, 재배 및 관리법까지 일목요연하게 나열·서술하였다. 이 책은 세계적인 원예백과사전인 미국의 Tropica와 Hortus의 장점을 취하고 약점을 보완하였으며, 생생한 사진자료 5,000여 컷을 인쇄기술로 재현하였다.

## 제2판 한국사연구입문

한국사연구회 편
신국판 / 반양장 572쪽

한국사 연구의 체계적 이해와 그 방향제시를 하고자 한국사연구회가 1981년에 《한국사연구입문》을 간행한 이후 5년간의 연구집적에 따라 구판으로로는 현재 한국사 수준을 반영할 수 없어 개정을 요하게 되었기에 그동안의 연구결과와, 구판이 1987년도 《한국사연구입문》으로 집대성, 61명의 전공연구자가 수정이 아닌 새로이 집필한 전면 개정판이다.

## 韓國文學硏究入門

黃浿江 金容稷 趙東一 李東歡 編
국판 / 반양장 700쪽

韓國文學을 近代的으로 硏究해오기 60여 년 만에 처음으로 지금까지의 모든 연구성과를 개관하고 1980년대에 들어선 이마당에 앞으로 韓國文學의 硏究는 어느 방향으로 어떤 方法에 의하여 연구되고 체계화되어야 하는가를 제시한 우리 문학 연구사상 획기적인 기획 작품이자 유일한 한국문학연구입문서! 76명의 중진 국문학교수들의 책임 집필이다.

## 한국문학과 세계문학

조동일
신국판/반양장 427쪽

한국문학연구를 출발점으로 해 세계문학의 보편적인 이론수립에 이르는 학문적 성과를 묶은 이 책은, 서양문학이 곧 세계문학이라는 전제를 거부하는 관점에서 서양중심의 문학관이 지닌 한계를 극복해야만 세계문학 일반의 보편적인 이론이 성립될 수 있다는 일관된 주장으로, 한국문학과 세계문학의 관련을 새롭게 살피며 그 연구방향을 정리하고 있다.

## 8 예술가와 역사의식

### —현실과 이상, 순간과 영원 사이—

崔鍾泰 著
국판 / 반양장 234쪽

현대 한국 최고 조각가의 한사람이자 서울美大의 교수인 저자가 副題에서 밝히고 있듯이, 현실과 이상, 순간과 영원 사이에서 예술가는 무엇을 보고 생각하며 형상화해야 하는가를 솔직하게 털어놓은 고백의 글들. 매편의 글은 우리 時代에 보기 드문 散文詩라 해도 좋다.

## 과학과 메타과학
### —자연과학의 구조와 의미—

장회익 지음
신국판 / 반양장 293쪽

인류의 앞에 놓인 현대 과학기술문명의 극복을 전제로 자연과학의 구조와 의미를 고찰한 과학적 이론서로서, 과학이란 창을 통해 인간의 모습을 들여다보고 과학을 바탕으로 한 인류문화의 질적 도약 가능성을 모색하고 있으며, 현대 과학문명의 새로운 윤리를 모색한 책이다.

## 玆山魚譜
### (개정판)

丁若銓 著/鄭文基 譯
신국판/반양장 230쪽

너무나도 유명한 實學 古典인 이 책은 지금의 黑山島(玆山) 근해 즉 우리나라 西南海岸의 海洋動植物學이다. 茶山 丁若鏞의 형인 丁若銓이 그 곳에 유배되어 있을 때 조사 연구 기록한 이 책은 지금도 실용성을 지닌 실학 고전 중 유일한 자연과학의 업적이다. 水產學者인 譯者가 심혈을 기울여 번역한 데는 일화도 많다. 文化公報部 우량도서 선정.

## 한국인의 두뇌 개발 Ⅰ·Ⅱ·Ⅲ

박만상 지음
신국판/반양장 Ⅰ·Ⅱ권
Ⅲ권 —정신생물학

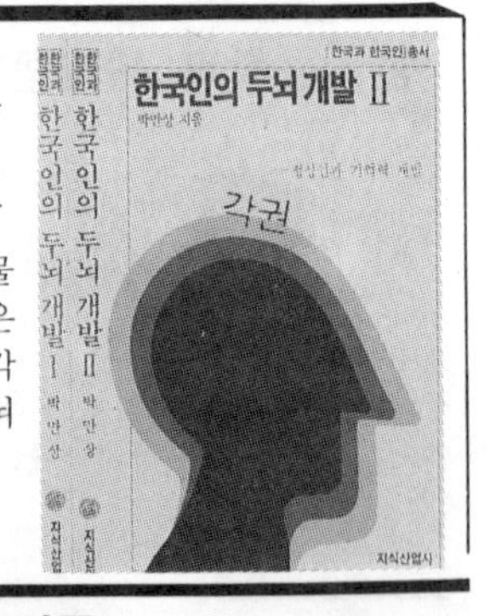


오늘날 하루가 다르게 발전하는 과학과 기술의 개발을 위해서는 물론 예술이나 다른 여러 분야의 문화 창조를 위해서도 두뇌의 개발은 불가피하다. 이 책은 뇌의 구조와 활동을 밝히고 그것이 우리의 생각과 행동에 미치는 영향을 깨닫게 해줌으로써, 창조적이고 우수한 두뇌 개발을 위한 하나의 지침을 마련해 줄 것이다.

## 엉뚱한 발상 하나로 세계적 특허를 거머쥔 사람들 *1·2·3*

왕연중
신국판 / 반양장 Ⅰ·Ⅱ·Ⅲ

오늘 한국경제가 당면한 위기를 뚫기 위한 하나의 과제는 한국인의 우수한 두뇌밖에 기댈 곳이 없다고 보고, 그 잠재력을 개발하기 위한 자극제로 창조적 발상에 빛나는 발명가·디자이너들의 성공담을 엮은 성인용 책이다. 76명의 세계적 발명가·디자이너들이 어떻게 자신들의 순간적인 창조적 발상을 키워 조국과 인류에게 공헌했으며, 또 특허권 소유자로서 행운을 거머쥐었는가에 대해 누구나 쉽게 읽고 느낄 수 있도록 실감나게 서술하고 있다.

## 韓國近代史의 試鍊과 反省

조동걸 저
신국판 / 358쪽

우리의 근대사는 자유주의 실현의 문턱에서 그 모순의 물결에 밀려 희생이 강요되었던 시련의 역사이다. 즉 제국주의의 침략과 수탈의 기록으로 점철되어 있는 것이다. 때문에 우리들은 그 모순과 싸워야 했으니 우리의 근대사는 곧 독립운동사가 될 수밖에 없었다. 따라서 이 책은 독립운동사와 관련된 글로 엮어져 있다.

## 韓國民族主義의 成立과 獨立運動史研究

조동걸 저
신국판 / 455쪽

이 책은 저자가 20년 동안 끈질기게 국내외에 산재한 원자료를 직접 찾고, 연구발표한 〈한국민족주의의 역사적 특질〉 등 15편의 논문을 분류 수록하였다. 1910년대의 민족논리편에서는 〈대동국결 선언〉의 해명을 통하여 3·1운동과 임시정부의 염원을 윌슨의 민족자결주의나 러시아의 10월혁명에 두는 오류를 통박하고 있다. 독자들이 이 책을 정독하면 할수록 많은 명제들을 하나같이 힘차고 구김없는 논리로 해명한 '역저'로 인식될 것이다.

## 獨立軍史

윤병석
신국판／반양장 306쪽

이 책은 30여 년 동안 독립운동사에 전력해온 저자가 여러 지면과 그 밖의 국내외 관련 학술회의에서 독립항전사에 관해 발표한 소견을 모은 것으로, 최근 연변대학 초청으로 봉오동승첩의 序戰인 두만강변의 삼둔자전투 전적지, 봉오동, 청산리 백운평 및 어랑촌, 천수평 봉밀구 등 청산리대첩의 현장을 답사한 후 보완하여 간행한 이 방면 최초의 체계적인 단행본 연구서이다. 독립군사의 현장이해를 돕기 위하여 18면 분량의 사진화보를 실었다.

## 한국기독교와 민족의식

이만열
신국판／반양장 546쪽

기독교와 민족주의는 서로 이해하고 공존할 수 있는가? '신앙과 민족과 역사'라는 기본구도 위에 한국기독교사가 종래 선교사의 차원에서만 서술 해석된 것에 이의를 제기하고 민족사적인 시각에서 접근하였으며, 기독교 초기와 관련해서는 전파 혹은 선교라는 시각보다는 수용이라는 입장을 분명히 하였고 한국적인 상황에 반응하는 기독교인의 동태에 관심을 모은 책이다.

서울大學校東洋史學講義叢書 IX

## 古代中國人의 生死觀

마이클 로이 著 / 李成珪 譯
신국판 / 반양장 224쪽

神과 인간의 관계, 내세와 현세, 이 양자를 연결하는 架橋, 우주와 만물 창조의 신비스러운 질서와 규율 등에 관해 古代 中國人들은 어떻게 생각했는가? 고독과 소외 속에서 이성과 과학에만 매달리고 있는 현대인들에게 인간을 우주·자연과 조화된 존재로 전제하면서 생을 영위했던 고대 중국인(한국인까지 포함한 동아시아인)의 총체적이고 유연한 生死觀을 평이한 문장으로 서술하고 있다.

서울大學校東洋史學講義叢書 VI

## 中國現代政治思想史

체스타 탄 著 / 閔斗基 譯
신국판 / 반양장 368쪽

19세기말 康有爲에서부터 20세기의 毛澤東에 이르기까지 中國近現代史의 주요 政治家들의 思想을 평이하고도 일관성 있게 서술한 책이다. 現代中國을 올바로 이해하기 위해서는 반드시 읽어야 할 책 가운데 하나이며, 政治思想의 展開過程이 눈에 잡힐 듯이 조리있게 서술되어 우리나라의 政治思想의 展開와 연구에도 많은 시사를 던져주고 있다.

## 중국현대사상사의 굴절

이택후 저/ 김형종 역
신국판/ 반양장 · 349쪽

중국미학과 사상사 분야의 권위자 이택후의 《中國現代思想史論》을 번역한 것으로, 중국이 근대에 들어 서양의 충격에 직면하면서부터 오늘에 이르기까지 중국사상계에 쟁점이 되었던 문제들을, 저자의 중국문학 · 예술 · 철학 · 역사 등에 대한 해박한 고전지식 위에 현대 서양의 이론을 적절히 운용하여 논지를 풀어가면서, 오늘의 중국이 안고 있는 문제들까지 지적해 놓은 책이다.

## 中國近現代史

小島·丸山 공저 / 박원호 譯
신국판 / 반양장 282쪽

아편전쟁 이래 열강의 半식민지로 된 중국이 악전고투 끝에 스스로를 해방하고 1949년 중화인민공화국을 세우기까지의 反帝·反封建의 역사를 상세히 기술한 것은 물론, 농업·공업·국방·과학기술의 현대화를 부르짖으며 사회주의강국을 노리는 오늘의 등소평시대까지를 가장 요령있게 정리한 現代中國의 理解를 위한 필독서!

## 遊牧社會의 構造

하자노프 지음 김호동 엮음
신국판 / 반양장 484쪽

이 책은 지구상에 존재했던 유목민에 대해서 거의 망라적으로 다루고 있어 인류학적인 현지조사의 편협성을 보이지 않으면서도 인류가 남긴 풍부한 고고자료와 문헌자료를 종횡으로 구사하여 역사학적인 태도도 견지하고 있다는 장점을 가지고 있다. 또한 우리로서는 접하기 힘든 러시아측의 문헌들을 넓게 참고하고 서방측 연구까지 광범위하게 포괄하고 있다는 점도 이 책이 갖는 특징이다. 유목이란 무엇이고 유목민과 유목사회 그리고 유목국가란 도대체 무엇인가에 대해 잘 묘사하고 있다.

헤겔학총서 1·2

## 정신현상학 Ⅰ·Ⅱ

헤겔 저 / 임석진 역
신국판 / 반양장

국제헤겔연맹 정회원이며 한국헤겔학회 회장인 임석진 교수가 헤겔철학의 정수로 손꼽히는 정신현상학을 국내 초유로 번역한 우리 철학계의 위대한 업적이다. 원고지 4,600여 매에 이르는 방대한 작업을 혼자의 힘으로 각고의 노력 끝에 탈고하여 한국에서의 헤겔철학연구의 튼튼한 초석이 되었다. 아무튼 헤겔의 변증법 및 독일관념철학을 공부하려는 사람들에게 필독도서로서뿐 아니라 우리 시대가 요구하는 정신적인 지표를 찾고자 하는 사람에게도 좋은 길잡이가 될 것이다.

헤겔학 총서 7

## 역사 속의 이성

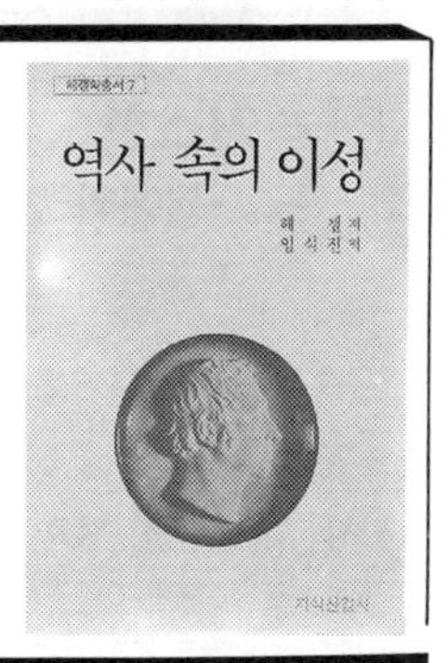


헤겔 저/ 임석진 역
신국판/ 반양장 · 363쪽

1822년말에서 1823년초부터 마지막 1830 · 1831년도 겨울학기를 합해 모두 다섯 차례에 걸친 강의를 통하여 부각된 다양하고 새로운 경험적 역사적 자료들을 모아 〈세계사의 철학〉으로 소개한 것으로, '역사서술의 여러 양식'과 '철학적 세계사'란 두 주제 아래 헤겔 나름의 국가 · 신 · 이성 등의 개념을 역사라는 범주 속에서 설명해 놓았다.

## 한사상의 이론과 실제

김상일 · 오강남 · 이성은 엮음
신국판/반양장 360쪽

여러 학문의 각 영역 속에 내재된 한사상의 모습을 분석 검토한 이 책은 우리 민족의 정서와 사상 속에 널리 존재하는 보편적 정신을 한사상에서 찾고, 이 한사상이 다양하게 변용된 모습을 철학 · 종교 · 신학 · 교육 · 수학의 측면에서 종합 분석 정리한 글들을 모은 것이다. 평소 한사상을 자기 학문분야에서 나름대로 연구해온 열두 사람의 글을 싣고 있다.

사회와 사상 13

## 한밝文明論

### 한民族 統一意識의 起源과 歷史

김상일 저
신국판 / 반양장 274쪽

한민족의 무의식의 심층과 한민족사의 전개과정에서 면면히 이어온 총체적 전체성을 '한'으로 보고, 이 '한'이 한민족의 역사에만 국한되지 않고 인류의 보편적 문명사 속에서 어떻게 나타나고 어떻게 좌절되고 승화되었는가를 개체발생이 계통발생을 반복한다는 기본입장에서, 고고인류학과 인지발달심리학을 결부시키는 방법을 통하여 8개의 문화층으로 나누어 고찰하고 있다.

## 케인즈 경제학의 理解

D. 딜라드 / 허창무 역
신국판 / 반양장 373쪽

이 책은 J. M. 케인즈 경제학의 해설서로서, 실업과 인플레이션의 원인이 되는 유효수요량을 결정하는 여러 가지 경제상의 힘에 관한 것과 케인즈 자신의 경제학사상을 간결하고 철저하게 설명하면서 경제이론을 구성하는 추상적 개념을 산술적인 예, 도표 및 요약뿐 아니라 케인즈의 관념 속에 연결되어 있던 정책들과 관련시켜 설명함으로써 케인즈 경제학의 해설서 내지는 입문서로서는 가장 평이하고 요령있는 책이다.

서울大學校東洋史學講義叢書 XIV

## 7 칭기스한

### —그 생애와 업적

라츠네프스키 저/ 김호동 역
신국판/ 반양장 · 304쪽

'오랫동안 기다려진 칭기스한 전기의 결정'이라는 평가를 받을 만큼, 종래의 연구가 갖는 문제점들을 극복하고 12, 13세기라는 역사적 맥락 속에서 칭기스한의 생애와 활동을 엄격한 사료비판적 태도로써 담담하게 묘사한 책으로, 몽고족과 칭기스한의 계보, 칭기스한 원정도를 비롯한 각종 도판 등이 부록으로 실려 있다.

## 13 방여지는 말한다

### —중국의 사하로프—

방여지 지음 / 권영빈 옮김
신국판 / 반양장 290쪽

중국의 사하로프라고 불리는 중국 민주화운동의 정신적이고 이론적 지도자인 방여지 교수의 자선집으로서, 중국은 지금보다 더욱 광범위한 전면적인 개혁을 필요로 하며, 정치의 민주화 없이 경제발전이 있을 수 없다고, 부패화된 관료주의에 대해 통렬한 비판을 가하고 있다.